PARE
DE SOFRER

Zibia Gasparetto
ditado por Silveira Sampaio

© 1997 por Zibia Gasparetto

Capa e produção gráfica: Kátia Cabello
Diagramação: Priscilla Andrade
Revisão: João Carlos de Pinho

1ª edição — 21ª impressão
3.000 exemplares — agosto 2015
Tiragem total: 185.000 exemplares

Dados Internacionais de Catalogação na Publicação (CIP)
(Câmara Brasileira do Livro, SP, Brasil)

Silveira Sampaio (Espírito).
Pare de sofrer / pelo espírito Silveira Sampaio; [psicografado por] Zibia Gasparetto.
São Paulo : Centro de Estudos Vida & Consciência Editora, 2011.

ISBN 978-85-85872-45-8

1. Espiritismo 2. Psicografia 3. Romance espírita I. Gasparetto, Zíbia. II. Título.

11-08167   CDD-133.9

Índices para catálogo sistemático:
1. Romance espírita : Espiritismo 133.9

Todos os direitos reservados. Nenhuma parte desta edição pode ser utilizada ou reproduzida, por qualquer forma ou meio, seja ele mecânico ou eletrônico, fotocópia, gravação etc, tampouco apropriada ou estocada em sistema de banco de dados, sem a expressa autorização da editora (Lei nº 5.988, de 14/12/1973).

Este livro adota as regras do novo acordo ortográfico (2009).

Editora Vida & Consciência
Rua Agostinho Gomes, 2.312 – São Paulo – SP – Brasil
CEP 04206-001
editora@vidaeconsciencia.com.br
www.vidaeconsciencia.com.br

Sumário

Regresso 7
Reconciliação 11
O encaixe 15
O testemunho maior. 19
Velocidade 23
O tempo 26
O burgo-mestre 29
Ilusão 33
O receituário 38
Reconhecer 42
Rescaldo 45
O cacoete 49
Impressão 53
Talento 58
Reincidência 62
Decisões 66
A armadilha 71
O seu poder 77
Retemperando 82
Ajuizando 86
O repolho 90
O show 94
O clandestino 98
Inversão 104
Costurando impressões 110
O aliado 114

Resgatando débitos..................................118
A verdadeira causa..................................123
A felicidade..129
O prêmio..133
Comparação..138
Dramatização..142
Saudade...148
O trauma..151
O arquipélago.......................................155
O carma...158
A constância..163
O concerto..167
O fundamental.......................................171
O autocontrole......................................175
A recriminação......................................179
Curioso resgate.....................................184
Diferentes paisagens................................191
O taxista...194
Contracenando.......................................198
Circunstância fatal.................................204
Contrariedade.......................................208
Imaginação..211

Regresso

Hoje é dia de festa. A alegria do reencontro. Quanto tempo tentando voltar à ativa! Eu me pergunto: Terei sido esquecido? Isso não me espanta, já que aí no mundo a gente se envolve com facilidade nos emaranhados problemas das ocupações rotineiras.

Não fora a vontade de encontrar de novo meus amigos a quem tanto amo, talvez eu desistisse do esforço de escrever novamente para vocês.

Contudo, estar aqui, poder sentir esse magnetismo saudoso de nosso querido pedaço de chão renova minha alegria e de pronto esqueço os momentos de frustração na busca de um contato difícil e incerto.

Confesso até ter usado alguns ardis — ingênuos, é claro, mas de certa forma eficientes — para despertar o interesse da médium a que me concedesse um tempo em sua tão movimentada agenda.

Pudera. Quando eu estava no mundo, também me envolvia em responsabilidades e obrigações tão comuns no dia a dia da Terra que as pessoas também não conseguiam aproximar-se.

Afinal, estou aqui. Consegui. A verdade é que estive ausente durante algum tempo, interessado em um trabalho muito importante para mim.

Claro que eu vou contar, mas um certo "suspense" é sempre bom. Afinal, todo escritor gosta de interessar seus leitores, e o mistério é ainda uma forte atração.

Penso mesmo que a vida é tão atraente porque joga com o suspense de maneira magistral, mantendo sempre acesa a chama do interesse. Talvez seja por isso que as cartomantes, os numerólogos, os estudiosos do tarô, da radiestesia, os videntes e todos os sensitivos estejam sendo tão procurados. Também, quem não tem curiosidade de saber o futuro?

Há os dissimulados que se dizem incrédulos ou sem curiosidade. Mas mesmo esses, diante de um bom futurólogo, não resistem e acabam arriscando sua perguntinha.

A vontade de saber o que nos acontecerá amanhã se relaciona muito com a vontade de progredir, de crescer, de ser feliz. Os que não desejam perguntar têm medo de receber uma notícia desagradável.

Sim, porque bom é saber o que nos vai acontecer de agradável. O que é ruim ninguém gosta de enfrentar. Sempre aquela ideia de que as lutas da vida, o esforço, os obstáculos e até a dor sejam maus.

Essa crença no mal tem dificultado muito nossa felicidade.

Quando alguém tem um tumor que precisa ser estirpado, se for consultar um vidente e ele disser "pode operar que você vai ficar bom", ele se sentirá aliviado, passará pelos problemas cirúrgicos com coragem e calma. Porém, se esse alguém tem o tumor e ainda não sabe e o sensitivo lhe disser que ele vai adoecer, certamente ficará arrasado.

Pensando bem, nós nos conhecemos tão pouco! Muitas vezes carregamos tumores e chagas na alma que impedem nossa felicidade. Então a vida, que é o melhor médico do mundo, providencia situações, pressiona, trabalha conosco e nos submete a circunstâncias que nos ajudam a estirpá-los.

Quando nós não compreendemos, nos revoltamos, acreditamos no mal, duvidamos da sabedoria divina. Um dia, para nosso espanto, descobrimos que tudo estava certo. Que tudo sempre esteve certo.

Se eu fosse um futurólogo, se guardasse comigo a possibilidade de ver o futuro nas cartas, nas mãos ou de qualquer forma, procuraria falar só no bem.

As coisas tristes eu não diria porque afinal de contas, embora elas sejam sempre um bem, para que preocupar quem não pode compreender?

Em todo caso, se fosse comigo, se algum vidente predissesse minhas dores futuras, sabem o que eu faria? Estudaria um jeito de evitá-las.

Sabiam que nós temos esse poder? Pois é. Temos. É só querer! Porque a vida responde de acordo com o que nós irradiamos. Quem planta colhe, diz o velho ditado.

Eu, que sou esperto e desejo aprender sem sofrer, procuraria descobrir por que e como eu estava atraindo coisas tão desagradáveis em meu futuro. Então, era só mudar a atitude causadora e escolher outra melhor e pronto, meu destino seria diferente.

Eu teria não só o prazer de frustrar o vidente como também de escapar às possíveis desgraças.

Que delícia! Vocês duvidam? Parece fácil demais? Pois se enganam. É muito mais fácil do que podem imaginar. Sem falar da alegria de descobrir que você pode e deve ser feliz!

Afinal, eu ainda não disse por onde andei. Eu sempre soube que a alegria era a fonte do progresso e da felicidade. Em que pesem algumas recaídas que tive quando eu ainda estava no mundo, ou depois quando cheguei aqui onde vivo agora, sempre cultivei o otimismo. Já pensaram na inutilidade da depressão?

Pois é. Por causa dessa vocação obtive licença para um curso de progresso espiritual, em que o aluno aprende que pode evoluir sem dor.

Não acreditam? Eu afirmo que é verdade. A velha fórmula terrena de evolução pela dor está mudando, graças a Deus! Sabem por quê? Porque o homem já amadureceu e pode ter esse conhecimento.

Fui convidado a participar da Nova Era. Estão admirados? Eu não. Sempre fui muito pra frente.

Fiquei a mil por hora. Estive primeiro nas comunidades da Terra fazendo estágio, na Índia, na Califórnia, no Himalaia, na China e até na Rússia. Depois, fui às fraternidades "New Age" do astral.

Que maravilha! Foi fantástico! Descobri que é chegada a hora de acabar para sempre com a dor, a angústia, a tristeza e ser feliz, cantar de alegria, vibrar amor sem limites, sem medos e sem ilusões, perceber a vida como ela é, cheia de beleza, harmonia e luz.

Será que vocês não gostariam de estar em meu lugar? Tenho certeza que sim.

Estou de volta, quero escrever, contar tudo, falar das descobertas que fiz, das respostas que encontrei para solucionar os dilemas de meu mundo interior. Sinto-me feliz e desejo que venham comigo, pelos caminhos da experiência, nessa viagem iluminada pela sabedoria da vida, e possam, assim como eu, encontrar a maravilha de viver cheios de felicidade e paz.

Posso contar com vocês?

Reconciliação

Tem muita gente brigando no mundo, com as pessoas, com as coisas, consigo mesmas, insatisfeitas com a vida.

Pudera! Passando uma vista de olhos pela Terra, vendo como as coisas vão, parece até que elas têm razão.

Crueldade, dor, corrupção, além de muito famosas no Brasil, andam à solta por toda parte.

Pensando bem, olhando como as coisas estão, a miséria, a carência e até a autodestruição, chego também a sentir pena do que os homens conseguiram fazer com a vida que Deus lhes deu. Durante muito tempo, sentindo as agruras dos sofrimentos da maioria, cheguei a acreditar que viver na Terra fosse mesmo o castigo pela perda do paraíso.

Diante das tragédias que ocorrem de forma inesperada dizimando milhares de pessoas, dos cataclismas, das doenças, martirizando crianças indefesas, quem à primeira vista não se sentiria com direito de reclamar? Quem não sonharia em transformar-se em um salvador do mundo, dando até a vida em favor dos que sofrem?

Confesso que esse pensamento me conduziu aos bancos de uma faculdade de medicina. Todavia, andávamos pelo mundo olhando sem ver, ouvindo sem ouvir, bloqueados pelo intelectualismo criativo nem sempre experienciado, dominados pela mente social, cheios de regras, repressões, convenções e tabelas, como se fôssemos uma multidão de bonecos, robôs sem vontade ou discernimento, programados pela cultura cega que vaidosamente ajudamos a estabelecer em séculos e séculos de reencarnações sucessivas.

Quanta ilusão! Quanta inutilidade! É verdade que grande parte dessas ideias e dessa cultura tem tido a virtude de ocupar nossas mentes para evitar que, despreparados e ignorantes, tornássemos o mundo e a sociedade ainda piores.

Quando me recordo das coisas inúteis e absolutamente dispensáveis que fui forçado a estudar na escola, as quais jamais utilizei, percebo quanto tempo perdido!

Por outro lado, hoje, de posse de outro ponto de vista, me pergunto: naqueles tempos eu poderia ter tido instruções diferentes, mais condizentes com a realidade? Claro que não.

Acreditar que algo possa ter acontecido de maneira errada não seria criticar a vida e reclamar de Deus?

Em outros tempos eu enveredaria facilmente por esse caminho, porém agora, não. Tenho conhecimento de uma lei básica: a vida age sempre certo e para o melhor...

Como eu sei disso? Porque tenho estudado. Não da forma como estudei nas escolas do mundo, mas aqui, nesta dimensão onde eu vivo e onde a aprendizagem é realizada através da vivência.

Vocês vão alegar que aí na Terra o que conta mesmo é aquilo que experimentamos, e com isso eu concordo, mas é que aqui se pode amadurecer mais depressa.

Está claro que depende de cada um, do desejo de crescer, da coragem de mudar. Na Terra, o processo é muito lento e, às vezes, chega ao ponto de quase parar por causa dos bloqueios que aceitamos, das ideias em que acreditamos.

Você acha que não? Nunca se perguntou de onde veio aquela crença de que você não tem boa memória ou não tem capacidade para fazer aquele curso que seu amigo fez, ou ainda que seu destino é sofrer nesse mundo porque a Terra é um "vale de lágrimas"?

Quantas "ideias" como essas inibem seu dia a dia colocando empecilhos em seu progresso, impedindo sua felicidade?

Você ainda pensa que a felicidade não é deste mundo? E ao invés de deixar de lado as ilusões dos padrões sociais do comportamento e voltar-se para o que sua alma quer e seu espírito anseia, aceita a dor e o sofrimento como condições indispensáveis à conquista da maturidade?

Na verdade, pensando assim, você está atraindo tudo isso para sua vida, porque o que você irradia recebe das energias do universo. Por isso, realmente, o sofrimento e a dor aparecerão em seu caminho inapelavelmente. Sabe por quê? Porque quem planta colhe, é fatal. Como eu sei disso? Porque há muito desconfiei que havia algo errado na forma como eu olhava o mundo.

Se a vida age sempre certo e para melhor, por que pessoas bondosas, cheias de caridade com os outros, acabavam sofrendo? O que estava errado? Queixar eu não me queixava mais, como quando eu estava no mundo.

Percebi nitidamente que se tudo no universo é harmonia e estava sempre certo, eu é que estava sendo incapaz de compreender a verdade.

Confesso que isso me deixou um tanto preocupado. Afinal, sempre me julguei apto a ver as coisas com uma perspicácia que agora eu chamaria até de sexto sentido. Raciocínio rápido, ágil, penetrante, sempre tive.

Tempos atrás, na curiosidade sempre presente em mim, talvez eu indagasse de meus amigos mestres, mas agora, mais habituado no trato com eles, notei que, quando a gente está maduro para enxergar, tudo vem até nós de maneira clara e maravilhosa.

Sabem o que descobri? Que a fonte do saber, a essência da vida, está dentro de nós, que Deus fala através dela e não só nos ajuda a perceber o que precisamos como supre nossas necessidades.

Assim, comecei a descobrir uma verdade muito maior. Uma força interior que nos guia e orienta. E sabem o que ela me mostrou? Que estava na hora de eu perceber a verdade. Que eu já estava maduro bastante para enxergar e aprender as leis imutáveis que funcionam no universo!

Que beleza! Pensei ser um cidadão da Terra e descobri que sou um ser cósmico, mil vezes mais perfeito do que eu pensava.

Acham que a vaidade deu voltas à minha cabeça? Enganam-se. Porque vocês também são como eu, sem tirar nem pôr.

Aí, voltando à Terra, de posse de novos conhecimentos, finalmente entendi a causa de tantos problemas complicados e por que as coisas não vão melhor.

É que vocês ainda acreditam nos velhos padrões, nas ideias religiosas e repressoras que durante séculos grassaram no mundo. Acreditam em papéis convencionais e sobretudo que para conquistar o progresso e a felicidade é preciso sofrer.

Posso afirmar que isso é mentira! Uma deslavada mentira que nos tem aprisionado durante séculos. Estou sendo duro? Pode ser. Mas vendo como a maioria das pessoas agem no dia a dia, não é de admirar que as coisas andem tão mal.

Agora que sei, que sinto e percebo que a felicidade é possível a todos nós desde agora, que é preciso banir o medo e ter a coragem de olhar para dentro de nós mesmos e deixar nossa alma expandir-se, que nossa essência interior é divina (até o Cristo já disse isso, para quem tivesse ouvidos de ouvir e olhos de ver) — tudo ficou mais claro.

Sabem o que eu penso? Que nós não tínhamos maturidade ainda, mas é chegada a hora de o homem aprender que pode evoluir sem sofrer. Que pode ser feliz porque é a alegria e a felicidade nosso destino, seja qual for nosso caminho.

Pensam que estou sendo otimista? Por que não haveria de ser? Pensar de forma diferente seria ignorar a bondade de Deus. Ele não fez tudo certo?

Estou contente por estar de volta e poder falar o que tenho visto e aprendido. Conhecendo como eu sou, com tantas novidades transformando o mundo, acham que eu não encontraria uma maneira de participar?

O encaixe

Certas pessoas parecem ser feitas sob medida para determinadas situações. Existem coisas, as mais inusitadas, que só acontecem para elas e de tal sorte que diante dos fatos nós ficamos mudos sem saber o que dizer. São os dramas do cotidiano. Você ainda acredita neles? Pois é, essa é a melhor forma de atraí-los para você.

Parece-me ouvir sua alegação de que cada um tem seu próprio destino e só vai passar pelos fatos que estavam previamente determinados.

Para ser sincero, essa é a lógica que todos nós trazemos de uma interpretação parcial dos efeitos desastrosos e doloridos das experiências do dia a dia.

De uma certa forma, achar que tudo estava escrito no livro da vida nos isenta da responsabilidade de admitirmos que a culpa é nossa. Mesmo nos colocando no lugar de pecadores impenitentes e ignorantes, é-nos até agradável a postura de "vítima" inexorável de um destino determinado, mesmo quando chegamos a admitir uma pretensa escolha em vidas passadas: "Tenho que sofrer para resgatar meus erros passados", "Estou colhendo o que plantei e só me resta aceitar as consequências de meu erro".

Que beleza! Uma alma nobre aceitando sua pequenez e dizendo-se incapaz, permanecendo passiva e tristemente à espera do momento em que será "salva" e possa ser feliz de novo...

Pensando bem, você acredita mesmo nisso? Você que está sofrendo a pressão da dor, da doença, da frustração, da miséria, da solidão, da depressão, da carência, pensa mesmo que só resta aceitar e esperar passivamente que seu carma acabe e num passe de mágica tudo se transforme?

Em que pese todo o respeito que sinto por sua dor e por sua privacidade, seu direito de escolher seu próprio caminho, sinto que talvez tenha chegado sua hora de compreender o quanto esse pensamento está longe da grandeza da ação divina.

Acreditar que Deus seja um credor tão exigente que queira de nós o pagamento de enganos cometidos na experimentação e no desenvolvimento de nossas almas seria o mesmo que punirmos as crianças por não terem maturidade para agir como um adulto. Não seria além de crueldade uma loucura? Mesmo os pais da Terra não desejam agir assim com os filhos. Acreditar nisso não seria diminuir a ação de Deus?

Quando estamos na Terra, mergulhamos no magnetismo absorvente do mundo, nos fechamos para as grandezas do universo, a profunda harmonia do cosmos, as maravilhas da criação. Confesso que eu também já fui assim. Contudo, agora, percebendo a energia vibrando em tudo, a perfeição das coisas, a beleza de um corpo humano visto no plano energético, iluminado, pulsando harmoniosamente, alimentado pelo sopro da vida, posso garantir que Deus é muito mais.

Dá para perceber, no movimento contínuo e natural de tudo, que ser passivo, parar, esperar que tudo passe, conduz o ser a uma inconsciência negativa que canaliza mais sofrimento, mais dor, para que chegando ao limite de sua resistência se resolva a sair da inércia e reagir.

Sabem o que descobri? Que muitos momentos ruins de minha vida não estavam programados a não ser por mim mesmo, com minhas fantasias, meus medos.

Duvidam? Pois eu posso provar.

Observe as pessoas que você conhece e perceberá que os sofrimentos de cada uma delas se encaixam perfeitamente com suas ideias e atitudes.

Em política costuma-se dizer que cada povo tem o governo que merece. E em experiência de vida, cada um tem aquilo em que acredita. A crença, a fé, tem o poder de materializar a energia, de criar.

É nesse aspecto que não posso concordar com a ideia de que somos vítimas do destino e sofredores impenitentes. Sabem de uma coisa? Jesus disse a verdade: nós somos deuses e o que ele fez podemos fazer. É lei da natureza e nós realmente fazemos.

Os pensamentos em que acreditamos se materializam em nossas vidas pelo poder divino que vive em nós. Pena que muitos ainda preferem acreditar mais na dor, no sofrimento, na tristeza, na carência, na própria incapacidade.

É por isso que há tanto sofrimento e tanta dor materializando-se na Terra. Coisas do pensamento humano.

Aí você vai dizer que só deseja ser feliz, que eu estou errado. Será mesmo? Já se deu conta das frases aparentemente sem importância que você costuma dizer, como: "Isso não vai dar certo", "Fiquei com medo de rir porque logo vem uma tristeza", " Estou ficando velho" ou ainda "Isto não é para mim", "Não há ninguém honesto neste mundo", "O mundo é dos espertos".

Eu poderia citar milhares delas, mostrando o negativismo do pensamento humano. E aí vocês vão dizer que a vida é "dura realidade" e eu afirmo que em tudo isso há uma grande, uma imensa inversão de valores.

A vida é luz, alegria, beleza, força, abundância, bem-estar, harmonia. Essa é a realidade, porque o resto — a dor, a dureza da luta, o sofrimento — isso sim é que é ilusão. Uma ilusão antiga e perversa em que o homem botou fé e anda até hoje no mundo, estraçalhando corações, dificultando a felicidade.

E é por isso que cada um tem sua dor e seu sofrimento particular, especial, já que as pessoas são diferentes e caprichosas.

Observando o sofrimento calamitoso de alguns, podemos também perceber a criatividade de sua fantasia, gerando situações complexas e inusitadas que, por mais tristes que sejam, nenhum emissário do cosmos conseguirá modificar.

Destino? Talvez. Mas não como você pensava. Porque assim como quem sofre criou a situação difícil com sua força mental, ele poderá sair dela quando quiser.

Acham que estou sendo otimista? Afirmo que é verdade. Nada mais fácil do que acabar com o triste destino e mudar sua vida. O poder está em suas mãos. É todo seu!

Como?! Chegar no plano astral, depois de alguns anos de sofrimento duro na Terra, tendo fechado com chave de ouro a encarnação, com uma agonia lenta, uma doença caprichada, e não desfrutar o paraíso? Suportar tudo sem reagir não vai dar a felicidade que você tanto quer? Sinto dizer que não.

O sofrimento duro provoca impressões tão pesadas no corpo astral que na maioria dos casos essa pessoa vai precisar ficar em tratamento nos hospitais aqui largo tempo para apagá-las. Quanto antes ela procurar mudar seu pensamento, aprendendo a enxergar a verdade, mais rápido vai se recuperar.

Estão decepcionados? É bom que seja agora, enquanto vocês podem optar pela alegria e despojar-se do pessimismo. Assim, quando chegarem aqui não sofrerão nenhuma desilusão. Além de haverem modificado seu destino para melhor, desfrutarão desde já uma vida mais feliz.

O sofrimento acabou! Descobrir que você foi criado para a felicidade, que esse sim é seu destino de sempre em toda a eternidade, não é maravilhoso?

Hoje, sinto-me muito feliz. Afinal posso falar isso tudo e eu sei que se você experimentar vai acreditar.

É uma delícia viver, amar, cantar, dançar, ser feliz! Não pensam como eu?

O testemunho maior

Há quem diga que a vida seja um amontoado de lutas, onde para ganhar nós teremos que suar a camisa.

Reconheço que momentos existem em que ela nos solicita um esforço maior, uma certa garra e, por que não dizer, um certo jogo de cintura.

E dentro desse contexto, ninguém escapa. Até os mais acomodados, empurrados pela necessidade ou pela dor, agilizam sua aprendizagem em busca do equilíbrio.

Apesar disso, há que reconhecer que, fora esses momentos, vivenciamos anos de relativa calma, que só não são mais felizes devido a nossa falta de compreensão.

É incrível como somos cegos quando vivemos na Terra! Passamos a vida como sonâmbulos, semiconscientes, distantes da realidade, sem noção de nosso potencial nem da importância da vida.

Quando penso nisso, imagino, por exemplo, o homem na Terra mil anos atrás, sem usufruir o conforto do progresso tecnológico, lutando contra as intempéries, agredindo pensando defender-se e atraindo para si a agressividade em todas as formas, reduzindo o tempo da encarnação drasticamente, com pequeno aproveitamento e muita dor.

Quanto sofrimento! E pensar que naqueles tempos o planeta já possuía tudo que possui hoje em recursos naturais. Que havia dentro da natureza tudo para suprir e melhorar a qualidade de vida do homem! O único obstáculo era a ignorância. Por não saber, nós muitas vezes acreditamos que não existe nada além do que já estamos conscientes.

Ainda mais agora, quando nos orgulhamos de nossos conhecimentos científicos, julgamos estar de posse da realidade. Muito seguros, nos agarramos às teorias, que nem sempre são completas,

verdadeiras, mas distorcidas, parciais, e delas não queremos abrir mão, mesmo quando os fatos nos provam que há algo mais.
O que fazer? Buscar novas ideias se nos afigura perigoso. Inovar é arriscar e prescindir da aprovação da maioria, é ter a coragem de mudar, de ver além. É usar a própria força interior, abrir os potenciais da alma em busca de uma realidade mais objetiva e mais forte que poderá trazer novas perspectivas de felicidade e de progresso.

Nós estamos amadurecendo e nossa maturidade não nos deixa mais aceitar velhos padrões de comportamento e de valores, que agora devem ser modificados.

Assim como o homem de mil anos atrás não via as riquezas e as possibilidades de nosso mundo, quantas coisas ainda haverá que nós, almas em pleno século vinte, com um pé no terceiro milênio, ainda não descobrimos? Podem imaginar? Podemos perceber o quanto ainda ignoramos sobre a vida e os benefícios que poderemos conquistar de posse dessa realidade?

É por isso que eu me empolgo! Que beleza! Porque pensando no quanto o homem evoluiu, quantas facilidades e bens conquistou, dá para sentir que no futuro, quando aprendermos a viver melhor, de forma adequada, não haverá nenhum sofrimento, nenhuma dor.

Reencarnar na Terra não será para nós tão assustador como agora e, quem sabe, até lá, em certos casos, se fizermos jus, poderemos não esquecer o passado mesmo estando encarnados.

Confesso a vocês que um dos pontos que me angustia um pouco quando penso em reencarnar é a condição de esquecimento total do passado. Muitas vezes isso não me parece justo, apesar de ouvir de pessoas mais abalizadas do que eu mesmo as vantagens dessa condição.

Pensando sobre o assunto, eu até acredito que nós só não nos lembramos das vidas passadas porque nos impressionamos muito com as experiências negativas e desagradáveis que vivemos.

Acho mesmo que é por causa de nossa teimosia em guardar rancor, de nosso orgulho ferrenho que sempre exagera as ofensas sofridas, de nossa falta de amor que nos faz agir qual crianças caprichosas e birrentas, que não podemos conviver com nossos desafetos de outros tempos sem que a vida jogue um véu em nossas lembranças.

Se nós já fôssemos maduros para entender que tudo quanto nos acontece de desagradável fomos nós que atraímos com nossa forma de pensar, com nossas atitudes, que os outros são tão inseguros quanto nós mesmos, que procuram sempre fazer o que lhes parece o melhor na defesa de seus interesses, que os enganos de parte a parte a vida se encarregará de mostrar, tudo seria diferente.

Se você for mais longe e perceber que todos somos parte da natureza e portanto Deus está em nós mas também está neles, todo rancor, toda mágoa se dissipará.

E aí eu imagino o que poderá acontecer. Reencarnar sem precisar esquecer. Não lhe parece vantajoso? A mim, sim. Nascer de bem com a vida, recordando experiências anteriores, sem necessidade da recapitulação, ganharíamos tempo. Como acreditaríamos só no bem e todos os nossos pensamentos seriam positivos, irradiaríamos energias boas, nossas vidas seriam harmonizadas e felizes. Saúde excelente, aproveitamento espetacular! Felicidade real e absoluta.

Estão duvidando? Pensando nos "percalços da vida na Terra?", na agressividade alheia, na crueldade, na desonestidade? Podem estar seguros de que cada um só recebe de acordo com o que irradia. Se você irradiar só o bem, ninguém no mundo conseguirá molestá-lo.

Depois, quando o homem conquistar essa maturidade, essas coisas serão banidas para sempre.

Quem hoje gostaria de morar em uma caverna com tantas casas aconchegantes e belas à disposição?

Pois é, no futuro será a mesma coisa. A felicidade contagia. Assim que alguns descobrirem certas leis naturais da vida, e eu afirmo que isso já vem acontecendo, e, vivenciando-as tornarem--se felizes, cheios de saúde, prosperidade, amor, quem não vai procurar seguir-lhes os exemplos?

Há dentro de nossa alma um grande desejo de ser feliz. Posso até dizer que descobri um pouco desse segredo.

Acham que estou protelando minha reencarnação? Por certo estou. Não que a saudade da Terra não me castigue de vez em quando, mas se eu puder demorar por aqui um pouco mais, aprender, enxergar as múltiplas facetas da vida e voltar mais amadurecido, consciente, preparado, sem medo, juro que farei. Afinal, a aventura da Terra continua sendo fascinante. Não pensam como eu?

Velocidade

Na era dos jatos, dos supersônicos e até da energia cósmica, nosso entendimento às vezes não consegue acompanhar a rapidez das descobertas e o andamentos dos fatos.

Como se possuíssemos um redutor de velocidade em nossas mentes a nos defender dos perigos a que nos expomos quando não temos conhecimento de alguma coisa. É preciso esmiuçar bem. pesarmos os prós e os contras, deliberar para fazer o que nos pareça menos arriscado.

No entanto, parece que a vida estugou o passo e não está disposta a esperar por nossa lentidão mental. E nos coloca diante dos fatos: ou aprendemos a viver dentro desse processo vertiginoso e nos adaptamos ou corremos o risco de perder as oportunidades de progresso que ele nos oferece, permanecendo por mais tempo no mesmo lugar e ainda correndo o risco de sermos "despachados" para outro plano mais em acordo com nosso lento processo de aprendizagem.

Vocês não acreditam nessa possibilidade? Pois eu afirmo que ela existe e já ronda concretamente nossa resistência contumaz em caminhar para a frente.

Você acha que não é uma pessoa resistente? Pensa que tem se esforçado para melhorar sua aprendizagem e até já se considera uma pessoa com muito boa vontade?

Pode até ser verdade. Quanto a isso não me atrevo a julgar (pelo menos me esforço para isso). Mas se o que você pensa é verdadeiro, por que tem demorado tanto para encontrar a felicidade e o sucesso?

É fora de dúvida que esse tem sido o objetivo de todos nós, e depois de séculos de discussão entre ciência, religião e até política, a humanidade já se tornou ciente de que a conquista da sabedoria e da santidade, isto é, o progresso do espírito, a levará inevitavelmente à conquista do paraíso.

Embora já se saiba que o paraíso é um estado de alma, pelo que tenho visto no quadro social do mundo falta muito para chegarmos a ele. Não que seja difícil ou nos faltem oportunidades. Ao contrário, tudo no universo nos empurra para isso, mas nós, já que nos foi dada a chance de participar e escolher, teimosamente nos agarramos a pequenas coisas e bloqueamos nosso desenvolvimento.

Acham que estou sendo duro? A que atribuir o caos que vai pelo mundo senão a isso? Como, observando a incrível criatividade negativa do ser humano, podemos pensar de outra forma?

Ainda que alguns tentem com açodada coragem enveredar pelos caminhos da autoanálise e busquem compreender os mecanismos cíclicos da vida, esbarram na teimosia crassa dos que desejam agarrar-se o quanto puderem nas ilusórias fantasias de sua mente.

Contudo, o tempo urge. Não para e cobra incessantemente a ação agora, de forma acelerada, como a apurar séculos de experiência numa súmula útil e ativa, reformulada incessantemente na forja dura porém regeneradora da vivência.

É verdade. Ou você procura compreender o que você sente, deseja e pode fazer ou não conseguirá manter-se nesse passo onde a maturação é comprovada, e será forçado a deixar essa Terra por largo tempo, indo chorar suas dúvidas ou temores nos ermos e primitivos prados de outro plano.

Acham que estou exagerando? Que ainda tem tempo de sobra para resolver suas dúvidas e estudar um pouco mais as coisas?

Cuidado! Se eu pudesse dar um palpite, arriscaria dizer que não é hora de brincar com esse assunto.

Como a criança no colégio que se recusa a estudar e o professor desgostoso decide tomar medidas mais duras, assim eu me sinto agora quando de posse de alguns conhecimentos, privilégio de meu atual estado, volto a falar com vocês, desejando com toda a força de meu coração encontrar eco e atendimento.

Dentro do que tenho observado, posso afirmar que nada falta a vocês para o salto maravilhoso do progresso. É só jogar fora velhas ideias que nunca deram certo e abrir o ser para aceitar as mudanças naturais e verdadeiras que estão ocorrendo agora em seu mundo interior.

Aceitação não acontece com o intelecto mas com o sentimento. O que é preciso é abandonar sem reservas os preconceitos, as aparências, os papéis sociais e dar espaço para sua alma se manifestar. Isso fará você desabrochar em espiritualidade, alegria, luz, bondade, amor.

Você ainda não se julga capaz desses sentimentos? Pois eu afirmo que isso não é verdade. Você tem todos eles dentro de si, fazem parte de sua essência, eles são você.

Negando-os, agarrando-se aos velhos padrões sociais e religiosos do passado, onde você se julgava inferior e mau, não se colocando na condição de espírito criado à semelhança de Deus, você não mudará sua verdadeira natureza. Nessa fantasia, apenas bloqueará seu desenvolvimento; e nessa resistência à sua luz interior, só retardará sua felicidade, permanecendo mais tempo nos sofrimentos que tem criado.

Acham que estou sendo fantasioso? Enganam-se. Nunca fui tão real no que afirmo. E digo mais: se você se observar, sair dos velhos papéis a que se habituou, fará uma incrível descoberta: você não é fundamentalmente mau como supunha. Você é bom, amável, alegre e fraterno. Experimentará, sentirá todos esses sentimentos e as emoções serão tão agradáveis que jamais desejará voltar ao padrão antigo.

E aí você sentirá dentro do peito um calor delicioso, um sentimento profundo e belo que lhe dará vontade de abraçar tudo e todos. Como por encanto, observará o verde das plantas, o azul do céu, o sorriso das pessoas, o perfume das flores e sentirá a harmonia do universo refletida em seu mundo interior!

Não tenha medo, venha comigo. Você é um cidadão do universo, cheio de luz e poder para escolher seu próprio destino e tornar-se consciente de que tudo é proteção divina programada para o bem na qual você poderá ser você mesmo e se soltar.

Já pensou que segurança? Não é uma maravilha?

Está na hora de enxergar e experimentar.

Não concorda comigo?

O tempo

Nas artimanhas do tempo se esconde uma grande lição.

Como?, perguntarão alguns, procurando descobrir por quê. Se o tempo simplesmente é, passa com regularidade e nada faz senão esperar por nossas atitudes, como ele esconde alguma coisa? Se somos nós que fazemos tudo, se com nossos pensamentos e crenças criamos nosso destino, o que teria ele de especial, a não ser o fato de esperar indiferente que nos tornemos maduros?

À primeira vista parece isso mesmo, mas observando melhor chegamos à conclusão de que ele tem "algo mais". Algo imponderável que o torna coadjuvante essencial do progresso de todas as coisas, participante direto dos eventos, executor indispensável à dinâmica do universo.

Ele equilibra e define o movimento de todas as coisas e dá um ritmo aos ciclos da natureza. Imutável, imponderável, jamais para ou modifica seu pulsar e tudo no mundo e até o cosmos se percebe através dele.

Já pensaram como ele é formidável? Indestrutível, forte, majestoso, chega a ser a própria sabedoria de Deus. Não se comove com as fraquezas humanas nem com a ignorância letrada ou não que grassa no mundo. Vai naturalmente cumprindo sua função e com ele as transformações se sucedem e gradativamente tudo se modifica e, é claro, para melhor.

Assim, vamos aprendendo à nossa própria custa o quanto dói não fazermos as coisas de maneira adequada. Se nós pudéssemos controlar o tempo a nosso bel-prazer, até que seria muito bom.

É claro que, quando estivéssemos em alguma atividade agradável, poderíamos alterar seu ritmo para que ele parasse ou andasse bem devagar. Já na hora da dificuldade, da dor e da tristeza, era só acelerar para que ele corresse rapidinho e logo tudo terminasse.

Ah! Seria muito bom para nós! Porém como cada pessoa vive diferentes momentos em sua vida, em pouco tempo o descompasso seria tal que a confusão e o caos acabariam criando um mal maior.

É... Por mais que eu procure descobrir novas formas, acabo sempre na confortadora constatação de que tudo está certo como está.

Ainda assim, dá para perceber que o tempo, apesar do ar de superioridade e de indiferença que o torna inatingível e imparcial, guarda em suas profundezas lições especiais.

O que o faz manter essa segurança? O que o faz continuar, aconteça o que acontecer, serena e ininterruptamente? É a certeza de que só existe o bem. Que Deus dirige o universo e só existe de verdadeiro o que ele quer e determina.

É saber que tudo que acontece tem por finalidade sempre o bem. Ele não para para discutir, para argumentar, para explicar ou tentar convencer. Ele "sabe" que chegará a hora de cada um entender e conduzir seu próprio destino de forma melhor. É essa certeza que lhe dá essa inefável serenidade que nossas lágrimas não conseguem modificar.

Ele simplesmente sabe que tudo precisa de espaço para manifestar-se. Assim como a cozinheira sabe que para fazer um bolo não é só bater a massa mas também levá-la ao forno e esperar para assar. O médico sabe que depois de dar o medicamento ao doente é preciso esperar para obter efeito.

Essa é uma das artimanhas do tempo que nós não queremos observar. Queremos tudo de nosso jeito, sem dar o devido espaço a cada coisa, da maneira adequada. Não esperamos o bolo assar.

Aí eu pergunto: você tem se dado espaço para amadurecer? Depois de ler um livro interessante, aprender novas ideias, ouvir uma palestra que o tocou e acendeu em você o desejo de mudar, tem sido paciente o bastante, persistente e seguro? Deu espaço, concedeu a si mesmo algum tempo para conseguir seu objetivo, ou simplesmente acreditou que já havia conseguido o que pretendia e depois de algum tempo descobriu, desconsolado e triste, que tudo estava como antes?

É, isso é triste. É triste porque, depois de um fracasso, raros são aqueles que pretendem recomeçar. Quase sempre ensaiam desculpas, consideram impossível e voltam aos antigos hábitos, e, o que é pior, sem novos objetivos.

A acomodação é considerada inércia pela vida, e como tudo se movimenta na natureza, a inércia é sempre um ponto de atração para o movimento. Nada pode parar no universo. Agarrar-se a coisas ou ideias é ilusão que sempre atrai o sofrimento saneador e restaurador da realidade.

Vocês acham que estou sendo rude? Estou sendo verdadeiro. Gostaria de banir da face da Terra todo sofrimento, e incomoda observar que ele só existe porque os homens ainda o valorizam. Que ele só aparece quando se acredita nele ou quando se foge à realidade procurando esconder o medo de viver! É a falta de confiança de que Deus é capaz de equilibrar o universo e manter o sopro da vida, de cuidar bem de você e de seu destino.

Sim, medo de viver é falta de fé, é negação da força divina!

Acham que estou sendo exagerado? Ao contrário, estou sendo ponderado, sincero. Afinal, depois de vivermos tantas encarnações, tantas vidas na Terra, termos vivenciado tantas experiências, não acham que estamos prontos para saber a verdade?

Confesso que apesar de ter aprendido várias coisas, ainda preciso de tempo para assimilar outras, mas uma coisa eu garanto: não vou desistir. Isso não. Os erros não me deprimem, não mesmo. Se eu não errar, como poderei aprender?

Apesar de a vaidade protestar, eu não ligo e sei que cada erro me aproxima mais da verdade. Cada vez que eu aprendo como eu não deveria ter agido, estou mais perto de saber como teria sido mais adequado fazer. E agir de forma adequada traz maturidade, harmonia, conhecimento, felicidade. Acham que sabendo disso eu não iria tentar?

Afinal, não há ninguém me cobrando, a não ser eu mesmo. E no fundo, no fundo, tenho um desejo grande de ser valorizado e feliz. Vocês não pensam como eu?

O burgo-mestre

Burgo-mestre era o nome que em meu tempo de criança dávamos ao diretor de nossa escola, em alusão a suas funções de juiz, decidindo sobre todas as nossas pendências.

Sua figura, misto de pai austero e educador, disciplinando, premiando, castigando, tão conhecida antigamente, hoje ninguém mais sabe qual é, muito embora alguns deles ainda circulem por aí nas escolas do mundo.

Também, pudera, as coisas mudaram tanto, os valores foram tão alterados que eles quase perderam a função. Quem os levaria a sério hoje em dia? Quem lhes daria atenção? Neste caos em que se transformou a organização hierárquica do mundo, quem acataria a ordem de alguém que impusesse obrigações e deveres, ainda que em benefício geral?

Pois é. A coisa está tão confusa que mesmo aqueles que pretendem pacificamente conviver com a ordem estabelecida e não tumultuam a sociedade não encontram parâmetros para se nortear.

Qual é a causa? Para romper velhos e obsoletos padrões de comportamento será preciso derrubar tudo, quebrar o que vier pela frente para depois recomeçar? As mudanças terão mesmo que fazer espaço arrebentando tudo sem que haja outros meios menos agressivos para se manifestar?

Tenho pensado muito nesse assunto porque visitando outros grupos sociais fora da Terra percebi que tudo poderia ser diferente.

Nós não temos necessariamente que passar por tantas experiências traumatizantes. Vocês duvidam? Acreditam que o processo de evolução só se dá através de muito sofrimento? Pois eu posso agora, gostosamente, dizer que não.

É claro que a dor, a luta, a dificuldade, a carência são excelentes meios de aprendizagem e que têm eficiência comprovada.

Mas sendo Deus tão generoso como é, tão criativo e tão nobre, não teria criado também outros meios? Algo mais agradável, mais fácil e até mais animador? Claro que sim. E é claro também que muitos já descobriram esses meios e por essa razão vivem melhor aprendendo a desenvolver seus potenciais sem dor.

Sem errar, não. Já o erro faz parte da descoberta de como as coisas são. Não há como chegar à verdade sem passar por várias etapas de enganos, porque, além de descobrir como as coisas são, precisamos saber como elas não são. A soma dos dois lados nos dá a dimensão da realidade.

E aí você vai dizer, satisfeito por me "pegar" em erro:
— E errar não traz sofrimento? Não há uma resposta ruim da vida para nos advertir do erro? Não há punição para quem erra?
Eu respondo: não. Não há punição. No universo não existe punição. O castigo é coisa do velho burgo-mestre tentando manter uma disciplina na qual ninguém acreditou porque sempre, em todos os lugares do mundo, os alunos conseguiram burlar.

O velho "bicho-papão" que atemorizava os moleques endiabrados de antigamente, ameaçando-os com uma palmatória, deixou de assustar há muito tempo, o que prova que o castigo não conserta ninguém.

Sabendo disso, vocês não acham que Deus jamais iria nesse engodo? Pois é. Ele dispõe de outros meios mais agradáveis. O que atrapalha é que nós, que ainda somos megalomaníacos, que gostamos de parecer melhores do que somos, não nos conformamos em reconhecer que errar é natural para aprender e exigimos de nós atitudes impossíveis.

Queremos ser infalíveis! E nos vigiamos implacavelmente, não nos permitindo nenhum deslize. Aí pagamos caro nossa fantasia. Quando nos enganamos, queremos nos castigar, como se essa punição pudesse "limpar" o crime de não haver acertado e, assim, provar a nós e aos outros que somos justos e dignos.

"Eu errei mas paguei caro por meu erro." Essa vaidade tem sido causa de muitos de nossos sofrimentos e eu diria até que além de nos haver infelicitado a vida, ainda atrai para nós a crueldade dos outros, que, envolvidos por nossa energia e por nosso pensamento de que merecemos sofrer, inconscientemente, por não possuir ainda discernimento da realidade, nos escolhem para suas vítimas.

Eis aí a causa mais importante do sofrimento humano. Acham que estou exagerando? Afirmo que não. Afinal, tenho estudado essas causas porque desejo aprender a viver melhor. E, acreditem, descobri coisas do arco da velha, que me fizeram perceber há quanto tempo eu poderia estar usufruindo uma felicidade maior!

Que Deus é amor, todo mundo sabe, mas que ele criou os meios de progresso menos difíceis, ninguém na Terra acredita.

Talvez esta falta de fé cultivada durante tantos anos seja a causa de tantas transformações no mundo, onde tudo que até bem pouco tempo faria a segurança da sociedade e do mundo materialista precisou ruir para que o homem percebesse que nada é seguro e estável na Terra a não ser Deus e nossa ligação com ele.

É difícil para você entender isso? Claro, você que sempre se agarrou aos padrões sociais, que colocou sua segurança na casa, na família, no emprego, nas leis e até no regime de governo, de repente percebe que nada disso é duradouro. Que tudo pode mudar em sua vida, mercê da vontade de Deus, que amanhã pode decidir dar outro rumo a sua existência.

Pois é. Morrer de repente, perder pessoas da família, solidão, mudanças, tudo, sempre revela a presença de Deus em nossas vidas. Sendo assim, o que é seguro no mundo? O que, em meio a tantas mudanças, poderá nos trazer a serenidade, a alegria de viver, a harmonia e a paz?

Embora você tenha ficado assustado, eu continuo a afirmar que quem está com Deus está seguro. Quem o sente dentro de si jogou fora todos os medos e encontrou a paz.

Fácil não é? Mas é preciso saber que ter Deus dentro de si não é apenas rezar, dizer que pensa nele ou procurar o auxílio da religião. Não é nada disso.

Sentir Deus no coração é vivenciar um estado de bondade e agir como ele age, é amar a tudo e a todos, é compreender e servir, é ser realmente bom, é permitir que ele se manifeste através de você!

Puxa! Que maravilha! Evoluir com amor! Sem nenhum burgo-mestre ditando normas e proibições dentro de nós, sem cobranças nem exigências, só vivendo nesse maravilhoso estado de felicidade e alegria permanentes que é o estado divino do amor!

Eu afirmo a vocês que isso existe. Conheço pessoas que chegaram a ele, e descobri que todos nós temos condições de chegar. Eu estou seriamente empenhado nisso. Afinal, trabalhar por nossa felicidade é nosso objetivo maior.

Já imaginaram? Nenhuma tristeza, nenhuma mágoa, nenhum ressentimento, nenhuma preocupação. Que felicidade! Que bem-estar! Não acham que vale a pena esforçar-se e experimentar?

Ilusão

Considerando todos os problemas do ser humano no dia a dia, notamos que a imensa maioria se encontra envolvida pelas enganosas fachadas da ilusão. A vida para eles nada mais é do que alguma coisa não muito boa que deve ser empurrada para a frente e nesse trajeto há que se aproveitar ao máximo as vantagens pessoais porque as horas de dor e de tristeza serão inevitáveis.

Serão mesmo? Não nego que ao homem comum, sem perspectivas, que desconhece sua origem de eternidade e a verdadeira posição que pode ocupar no mundo, isso pode parecer uma verdade.

Todavia, o tempo, a vivência, a maturidade mostrarão que não é assim.

Esses enganosos caminhos da ilusão traduzindo-se em uma indiferença que, sem dúvida, cedo ou tarde ele haverá de pagar caro, têm impedido que possa despertar para as mudanças que lhe compete fazer, corrigindo os rumos do caminho.

Acham que estou teorizando? Nada disso. Estou cansado de assistir de perto a como esses bloqueios voluntários impedem o amadurecimento e o equilíbrio das pessoas.

Sei o que estou afirmando porquanto, na divulgação entusiasta do otimismo e do cultivo do pensamento positivo a que nos propusemos, isso tem sido comum.

Não que as pessoas conscientemente não desejem a harmonia e a paz interior. Ao contrário. Temos registrado seus comoventes, sinceros e muito interessados apelos em busca da felicidade. Porém nunca foram além de pedir, não percebendo que, se desejam alcançar o que pedem, deverão participar ativamente dessa conquista.

São muitos os que perguntam: se a vida deseja o bem, se representa a essência divina, por que permite tanta dor e sofrimento?

Por que ela nos causa tantas lutas e desilusões? Tenho rezado tanto, por que minhas preces não são atendidas?

Porque vocês não estão fazendo sua parte. Pedem, pedem, dizem-se dispostos a servir a Deus e ao próximo, no entanto permanecem parasitários e indiferentes, aguardando uma felicidade irrealizável porque utópica. A vida não vai condoer-se de suas queixas e lamentações. Ela não aceita sua incapacidade. Ela sabe que quando você quer, você pode.

Acham que estou sendo incoerente? Que, por mais otimista que eu pretenda ser, jamais poderei negar os sofrimentos da face da Terra?

Quanto a isso, não nego mesmo, de que adiantaria? Eu sei que eles são muitos e dolorosos. Essa é a causa de nosso desejo de despertar vocês para o que existe atrás desse processo para que possam sair dele o mais rápido possível.

Duvidam? É pena, porquanto outros caminhos existem, mais belos, menos penosos para o desenvolvimento do espírito.

Tocados por tantos apelos, observando os enganos em que os homens ainda estão, foi que nós, espíritos interessados em ajudar, estamos nos movimentando para esclarecer consciências, na certeza que temos de que a verdade é muito mais bonita do que vocês poderiam sonhar.

Amadurecer significa o domínio do pensamento, é poder compreender a vida harmonizando-se com ela, usufruindo benefícios e felicidade completa.

Acham que estou exagerando? Nada disso. Garanto que é assim. Além do mais, se você não crê em minhas afirmativas, basta experimentar e logo perceberá a realidade.

Experimentar o quê?

Experimentar mudar, trocar sua indiferença, sua crença no sofrimento, sua certeza de infelicidade, pela fé, entregando nas mãos de Deus todos os problemas de sua vida que você não consegue resolver. Acreditando que, com a ajuda dele, você poderá vencer o que lhe compete fazer.

É claro que a chave de tudo está aí. Deus, apesar de ser chamado pai, não gosta desse papel e tem sempre procurado nos deixar enfrentar nossos problemas para que aprendamos a decidir e a compreender.

Quem gostaria de reconhecer que tem se portado diante dele como criança mimada e incapaz, gastando na lamentação e na queixa grande parte da energia que poderia, se bem utilizada, levá-lo ao progresso?

Você não é mimado? Você não pretende manipular todos os acontecimentos e até Deus se ele entrasse nessa?

Sinto dizer que nesse papel está a grande maioria dos sofredores do mundo, caminhando pela vida indiferentes a sua participação ao bem comum e a sua responsabilidade na busca de sua harmonia interior, metendo os pés pelas mãos e lamentando-se quando recebem o que atraíram.

Não parece loucura? Como é que alguém pode comandar a vida, que é livre manifestação de Deus? Não lhe parece a mais perigosa ilusão?

É isso que me incomoda e às vezes, apesar de ter aprendido tanto por aqui, ainda sinto o desejo involuntário de sacudir certos pedintes contumazes, dizendo:

— Acorda!! Por que teima em não ver seu próprio potencial? Por que se coloca em posição de incapaz, esperando que Deus lhe dê uma coisa que você nem sabe bem o que seja: a felicidade. Já parou para pensar nisso? Já se deu conta de como ela seria e de como ela viria para você?

Parece que não, porque quem anda ocupado em cultivar ilusões, em enxergar o mundo como sendo um "vale de lágrimas" por certo colocaria seu conceito de felicidade muito distanciado da realidade.

Pensando bem, quem o colocaria no prazer de um trabalho bem-feito, na alegria de um abraço ou na lucidez de compreender a tudo e a todos harmonizando-se com o universo?

Imaginariam um paraíso de ociosidade, onde manipulariam tudo a seu gosto, onde seriam servidos pelos anjos, que, aliás, diga-se de passagem, não fariam mais do que a obrigação. Não são eles anjos? Um anjo que se preza deve ser solícito, amoroso. Tudo suportar, tudo perdoar e esforçar-se para amaciar seu caminho, tirando todas a pedras e tropeços. Afinal, que seria dos famosos anjos-da-guarda sem esses papéis? Ficariam desmoralizados. Quem os chamaria na hora da aflição?

Fácil, não é? Que maravilha! Há no mundo muita gente ainda pensando assim, não só os frequentadores das igrejas como até dos centros espíritas.

Claro! Nada melhor para alguém que descobriu a mediunidade do que evocar alguns espíritos e colocá-los a serviço de seus interesses. Por que eles obedecem? Eis aí a resposta: porque todos têm muita força quando querem dominar os que se deixam levar. Essa de parecer fraco, de implorar ajuda, pode até vir de alguém sincero, mas incapaz, nunca.

Deus nos fez a todos capazes e fortes. Já perceberam como somos rijos quando realmente o desejamos?

Pois é. Todos temos essa força, muitas vezes mascarada em uma disfarçada fraqueza muito conveniente. Basta, porém, que a vida nos dê uma cutucada para que a fraqueza desapareça e mostremos do que somos capazes.

Pessoas existem, aparentemente dóceis e cordatas, prestativas, as quais ninguém consegue dizer "não", e assim elas conseguem tudo quanto desejam.

E aí vocês perguntarão: que mal há nisso? Quem é jeitoso merece ser atendido.

Pode ser, mas você já experimentou dizer "não" a elas? Já sentiu como elas mudam diante disso?

Mas o que eu quero mesmo dizer a essas pessoas que sofrem e se lamentam, que só pedem e esperam tudo de Deus, é que elas estão equivocadas. Que no fundo, no fundo, são tão capazes quanto qualquer outra. Que o remédio para suas dores sempre esteve a seu alcance e que basta utilizá-lo para tudo mudar para melhor.

Deus, em nenhum momento, ausentou-se de sua alma e as forças divinas sempre estiveram ali à espera de que elas se decidissem a utilizá-las.

Que é preciso aprender a diferença entre comodismo, dependência e participação ativa na certeza de que Deus age sempre através de nós, e, portanto, controlar nossos pensamentos, educando-os positivamente, é que vai acionar a conquista da felicidade que buscamos.

Eu sei que o sofrimento tem comparecido para valorizar a felicidade, mas agora basta. Você não precisa mais dele. Por que teimar em acreditar que ele seja imbatível?

Foi isso que me fez voltar a escrever para a Terra. Eu sei que eles sofrem e oram pedindo alívio e sei que é muito fácil obter o que desejam, só que o caminho não é o que eles pensam. É outro.

Isso é o que falta. Parar, sentir, perceber, dar uma força à sua própria força e acreditar na vida sempre tão sábia e tão bela!

Não é uma grande causa? Eu sei que sim. Por isso espero continuar. Não sentem que estou com a razão?

O receituário

Cuidado com o receituário. Claro que não estou me referindo às receitas médicas, apesar de saber por experiência própria que às vezes elas não são exatamente como poderiam ser. Basta apenas lançar uma vista de olhos para as dificuldades de um diagnóstico seguro, principalmente quando o médico, materialista por indução ou por convicção, não admite as variáveis sempre presentes da captação energética.

Mas eu me refiro ao receituário que, independentemente da profissão, do conhecimento ou da capacidade, todos nós gostamos de dar.

Aliás, já diz a sabedoria popular que "de médico e de louco, todos temos um pouco".

Afinal, quando alguém se queixa, quem de nós resiste a indicar um remedinho tiro e queda? Se por um lado evidencia vontade de cooperar, socorrer, por outro pode apenas deixar claro que sabemos tudo, e aí, então, nosso ego cresce e toma conta do pedaço. E se por acaso alguém estiver por perto e aventar uma outra "receitinha", pode até acabar em briga. Estabelece-se uma competição difícil de ser contida.

Nessa hora, o que importa mesmo é ganhar, é ver sua ideia aceita e sair feliz da vida, sentindo-se a mais sábia das criaturas.

O orgulho nos prega essa peça. E há aqueles que animados por esse "sucesso" sentem-se encorajados a palpitar na vida alheia sempre que alguém der espaço.

Quem não conhece o "doutor sabe tudo", que adora aconselhar os outros, não só nos remedinhos para as doenças mas até nas atitudes que eles deveriam tomar em sua vida íntima, invadindo as pessoas, julgando-se bondosos e enchendo a boca para dizer que adoram "ajudar o próximo"?

Nesse terreno, pelo que tenho observado aqui, deve-se pisar com muita cautela. O que chamamos de ajuda nem sempre ergue e favorece ao progresso. Muitas vezes, e isso tem acontecido, acabamos por empurrar a pessoa a uma infelicidade maior. Vocês concordam?

Pensam que ajuda é sempre ajuda e que vale a intenção? Bem, se isso fosse verdade, todos os nossos pensamentos e desejos dariam sempre certo. Afinal, o que não nos falta é boa intenção. E é com ela que contamos à nossa amiga que vimos seu esposo com outra, que aquele parente injustamente falou "mal" dela, etc.

É maledicência? Claro que é, mas há sempre para quem a comete a "intenção" de ajudar. E por que não lembrar aqueles que, cultivando o negativismo, estão sempre prontos a aconselhar em nome da "prudência" a não fazer isto ou aquilo, "ajudando" a pessoa a perceber os perigos da vida, relatando tragédias, dramas e infelicidades?

Esses também sentem-se cheios de boas intenções, e se alguém realmente os ouvir, acabará por paralisar-se pelo medo. Não conseguirá mais nada de bom na vida.

Pois é, esse receituário é dispensável, claro. Mas se há aqueles que temem o futuro, há também os que "jamais esquecem o passado". Esses dão-se ares de sabedoria para relatar suas dores, as situações em que foram vítimas das agruras da vida.

Já pensaram que ilusão? O pior é que esses, quando o tempo passar e eles crescerem um pouco mais, por certo irão se envergonhar dessas atitudes, reconhecendo que as coisas foram desta ou daquela forma porque eles as criaram.

Isso tem acontecido com muitos de nós, aqui nesta dimensão. Olhando nossos enganos passados nos sentimos qual crianças travessas e ignorantes brincando de adultos. E aí dá uma bruta alegria dentro do peito por sentirmos que já crescemos um pouco.

Mas resistir ao palpite, à vontade de ensinar os outros, ainda não nos é fácil.

E aí você vai dizer que eu não posso falar sobre este assunto porque vivo escrevendo para a Terra tentando contar o que sei. Não será uma forma de dar palpite na vida alheia?

Já me questionei seriamente sobre isso. O que percebi em mim foi uma imensa vontade de passar para todos a alegria, a felicidade que eu encontrei. E para ser honesto, eu nunca dou "receitinhas", ainda que em minha área eu até poderia fazê-lo sem risco para ninguém, principalmente porque, de onde estou, o diagnóstico ficou mais fácil.

Eu continuo estudando, procurando aprender e depois relatar minhas experiências, sem conselhos nem nada, para que as pessoas possam também, através delas, aproveitar alguma coisa. Estou sendo claro?

Afinal, temos muitos pontos em comum. Aprendi isso quando trabalhei na triagem de pessoas que chegavam aqui, infelizes e revoltadas. Confesso a vocês que, cheio de boa vontade, muitas vezes pretendi conduzi-las de acordo com o que eu achava. Os resultados foram tão calamitosos, deram-me tanto trabalho para cair fora, que aprendi minha lição.

Acham que progredi? Eu também. Hoje, por mais lamentosa que a pessoa esteja, por mais carente que aparente ser, procuro não me envolver. Costumo apreender certas coisas com muita rapidez, principalmente se for para salvar minha pele. Sim, porque todas as vezes que nos metemos na vida dos outros, que colocamos nossa colher, captamos a energia das pessoas envolvidas, o que significa coletar a carga de todos os seus problemas.

Duvidam? Façam a experiência. Observem se aqueles que estão sempre às voltas com indisposições as mais variadas não estão sempre "ajudando" os outros aconselhando ou pretendendo que façam isto ou aquilo.

Quer dizer que devemos ser duros e deixar os outros sem apoio? Não foi isso que eu disse. Saber ouvir, mostrar afeto, dar atenção, compreender, estender a mão a quem está se esforçando para levantar sempre será recurso que poderemos utilizar em favor dos outros, porém se desejamos realmente ajudar, o principal é não julgar, não pretender mudar as pessoas, demonstrando com isso o quanto elas estão erradas.

Atualmente, não julgo ninguém e até olho com mais serenidade para minhas peraltices. Afinal, que criança saudável não seria endiabrada? E eu sei que, embora crescendo, essa criança traquinas ainda brinca dentro de mim, ainda me dá um pouco de trabalho de vez em quando. Mas eu a deixo ficar sem me preocupar com isso, porque se amadurecendo eu deixo de lado as diabruras que me traziam infelicidade, por outro lado é dela que me vem uma grande confiança na vida, na beleza e na bondade, no amor e na alegria, e a certeza de que vivemos em um conto de fadas que sempre acaba assim: "E eles foram felizes para sempre".

Não é essa a grande verdade da vida? Não é esse nosso destino? Não será essa a meta de nosso crescimento?

Reconhecer

Saber ver as coisas do jeito que são. Parece fácil isso? Nem sempre. Há dentro de nós uma força imensa dificultando nossa visão.

Observando como ela surge dentro de mim, mascarando atitudes, vestindo-se com os mais diferentes papéis, esforçando-se para encobrir a realidade, me pergunto por quê e para quê.

Não seria mais fácil se ela não existisse e pudéssemos perceber os fatos com clareza, sem as máscaras de nossos volteios ilusórios?

Assombra-me por vezes constatar que, apesar de minha perspicácia tão aguda em certos momentos e para determinadas coisas, eu seja capaz de ser tão ludibriado e tão fragorosamente enganado em outras, não as enxergando senão através da ótica viciada de minhas ilusões.

O que fazer? A percepção caminha gradativa e, por mais pressa que possamos ter, ela se processa naturalmente e em ritmo próprio.

Se por um lado isso pode nos parecer decepcionante, por outro nos convida a pensar com mais calma e a ser mais humildes.

Exatamente no momento em que nos julgamos mais aptos, quando percebemos um pouco mais de nossa realidade interior, exatamente quando acreditamos ter amadurecido por termos conseguido compreender melhor a vida, as coisas e a nós mesmos, é que, subitamente, deparamos com aspectos novos de nossa realidade interior, inesperados e até há pouco ignorados, escondidos ferozmente pela ilusão.

Passados os primeiros momentos de ansiedade e insegurança, constatamos a grandeza da alma, da vida que pulsa em nós intensa e inapelavelmente.

Reconhecer a própria alma significa assumir seu lugar no concerto universal, significa crescer, ser consciente, passar de observador a cooperador, de cego tatear nas trevas a caminhada clara e definida no rumo certo.

É sentir segurança, coragem, alegria. É beleza e plenitude. É estar consciente da eternidade e pautar seu ritmo pelo movimento universal da harmonia.

Se reconhecer o que somos nos leva a tudo isso, que força é essa que nos oprime e desvia, que estabelece condições passageiras, que desfigura os fatos e os traveste de receios?

Por que, mesmo pretendendo ser sinceros, nos iludimos e a pretexto de fazer o melhor escolhemos o mal? Estará nessa dualidade o processo de evolução? Haverá nessa contradição o pano de fundo para no fim podermos reconhecer as necessidades reais de nossa alma?

São perguntas que tenho feito muitas vezes, sem que eu pudesse encontrar de pronto uma resposta. O que nos torna ágeis em acobertar coisas que não desejamos enxergar, de tal sorte que a vida precise nos sacudir duramente a fim de nos acordar? Quem de nós já não recebeu uma dessas sacudidelas?

Eu penso, de vez em quando, em como seria bom se eu pudesse livrar-me delas para sempre, conseguindo relacionar-me muito bem com a vida, aprendendo a perceber as coisas com rapidez e, nessa atitude, obter menos turbulência, mais harmonia e felicidade. Seria ótimo.

Pensando nisso, comecei a observar com atenção os pensamentos que iam pela minha cabeça e sabem o que notei? Que, nessa história de obstrução, a vaidade é uma força enorme.

Reconhecer, ver as coisas como são, significa ser falível em certos casos, é não ter habilidade para certas coisas, ou então possuir alguma tendência para a desonestidade.

Ah! meus amigos, perceber que você não é tão honesto como supunha, que no fundo ainda desejaria "ganhar" dos outros, seja lá o que for, é demais para qualquer um.

Ser honesto é o grande mito de todos nós. Enchemos a boca para falar em honestidade e todos sabemos explicar muito bem o que seja essa qualidade. Quem de nós admitiria não a possuir integralmente?

Isso é tão verdadeiro que até entre os reconhecidamente marginais existe algo como "código de honra", "ética profissional", ainda que seja para assaltar os outros.

Pois é. Desonestos, não. E então a vida nos coloca em circunstâncias tais que de repente descobrimos nossa desonestidade, nosso constante iludir, criando pensamentos obstruidores, impedindo-nos de nos ver como somos.

Difícil? Nem tanto. A vida, que é mestra, nos conduz para a frente, e já que nós desejamos aprender mais depressa, não seria mais útil se puséssemos mais atenção ao teor de nossos pensamentos?

Às vezes é útil tentar olhar para dentro de nós com isenção, como se estivéssemos observando outra pessoa. Acha que isso seria dividir? Eu penso que não. Isso nos ajudaria a ser mais imparciais e benevolentes com os ângulos menos percebidos de nossa alma.

Uma coisa eu sei. Não há nada melhor do que a verdade. Ela é a deusa suprema sem a qual a evolução não pode ocorrer. Ela é a propulsora de nosso progresso e de todas as conquistas.

Por isso, quanto mais realidade, mais progresso; quanto mais progresso, mais felicidade; quanto mais felicidade, mais alegria e luz!

Não acham que vale a pena tentar?

Rescaldo

Enquanto dura o incêndio, em pânico as pessoas tentam apagá-lo, utilizando todos os recursos a seu alcance. Nessa luta é preciso muita água, a cooperação do vento para que o fogo não se propague e até a calma e o empenho dos que, apesar de tudo, conseguem serenidade suficiente para alcançar o objetivo.

Contudo, os bombeiros e os experts no assunto sabem que mesmo depois de o fogo ser apagado é preciso fazer o rescaldo. Continuar o trabalho para evitar nova combustão, e esfriar completamente o local.

Vocês a esta altura estarão perguntando: por que um fantasma como eu se interessaria em falar de uma coisa óbvia e terrena? Porque, às vezes, utilizar certas imagens facilita explicar certas coisas.

Quando nos "esquentamos" com as coisas que somos forçados a engolir, com as pessoas que deixamos nos irritar, ou com a vida, por não ser do jeito que queríamos, é como se dentro de nós irrompesse um verdadeiro incêndio.

A raiva, o ódio, a revolta, o inconformismo, a paixão não correspondida (em se tratando de correspondida, ela logo acaba) queimam como fogo, devastando com suas labaredas ardentes todos os sentimentos de bondade, de alegria, de amor, de harmonia que estão em nossa natureza, e aí haja água, que quase sempre aparece na forma de sofrimento, desilusão, verdade, doença e até tragédia, para apagá-lo.

E os bombeiros? Eles também costumam ajudar na forma de pessoas que respeitamos e amamos, que procuram nos mostrar as coisas sob outro prisma, mais real e que nos facilite compreender.

Todavia, pode ocorrer que, abatidos pela dor, amaciados pela desilusão, amparados pelos que amamos, as chamas se apaguem, o que certamente nos dará alívio imediato. Porém, há o rescaldo. Para que ele se efetue, é fundamental apagar o ressentimento.

Sim, tal como aquela minúscula brasinha escondida em meio às cinzas, ele está lá, dentro de seu coração, tão pequeno e tão escondido que você pode até pensar que já venceu a parada.

Todavia, basta pouca coisa para que ele traga de volta as chamas destruidoras de momentos antes.

O que é preciso fazer? O rescaldo. Esfriar de vez as cinzas, mergulhar dentro da alma para descobrir as brasas do ressentimento e apagá-las definitivamente.

Estou sendo dramático? Nem tanto. Tenho visto chamas desta natureza consumir largo tempo das pessoas, várias encarnações, criando sofrimentos evitáveis.

Às vezes me pergunto se é por pura burrice nossa teimosia ou se isso faz parte de nossa necessidade de aprender. Eu, que sou apressado ou que acredito que a inteligência tenha nos sido dada para facilitar, tenho pensado muito sobre essas coisas, porque se na Terra um incêndio pode ser provocado por descuido, incompetência ou até por intenção de destruir, as chamas que nos queimam a alma são criadas por nós mesmos, mergulhando-nos em experiências que nossa inteligência, se consultada, logo responderia que não é por aí.

Está certo, considero também que quando há paixão, ódio, ciúme, qualquer fator que ateie fogo dentro de nós, a inteligência e até nossa essência divina ficam bloqueadas. Assim como certas pessoas ao verem um incêndio ficam correndo de um lado a outro sem saberem como agir, ficamos nós, queimando por dentro, tendo olhos só para o fogo que nos invade.

Coisas que fazemos e não temos ainda explicação. Mas se não podemos explicar, podemos sentir.

E sentir coisas desagradáveis que nos tiram da realidade, nos fazem sofrer, não é nada bom. Bom mesmo é sentir alegria, felicidade, bem-estar. É viver numa temperatura adequada, esquentando com amor.

Esse calor aquece mas não queima; sustenta, não destrói; ajuda a perceber, não esconde; nutre e alimenta.

Ah! que bom se todos compreendessem essa realidade. Que bom se os incêndios todos se apagassem e as pessoas pudessem experimentar a serenidade, a bondade, a beleza, a harmonia.

Acham que estou sonhando demais? Nem tanto.

Eu juro que todos nós já possuímos condições de viver assim. Basta querer. Basta escolher os valores que nos causam bem-estar ao invés de dor.

Você concorda? Quer fazer esse esforço para ser feliz? Então comece o quanto antes. Pense no bem, seja otimista, aceite a presença de Deus em todos os minutos dentro de você. Jogue fora o orgulho, que só tem atrapalhado; a inveja, porque você é capaz de fazer igual ou melhor; o ciúme, porque você é tão bom que se alguém não acreditar nisso é porque não merece sua amizade; e cultive a alegria.

É por certo excelente receita para a felicidade. Tão boa que eu tenho procurado aplicá-la em minha vida. Sabem que tem dado certo?

Contudo, se querem mesmo se garantir, não se esqueçam do rescaldo. Não se iludam com as aparências, entrem mais no fundo de sua alma para enxotar dali o ressentimento. Sabem que ele tem sido responsável por anos e anos de sofrimentos dispensáveis da maioria das pessoas?

E olhem que não exagero. Porque quem o guarda sempre demonstra incapacidade de compreender. Uma visão distanciada da realidade. Claro. Se assim não fosse, você saberia que aquela pessoa que o traiu, que o desprezou, lesou, enganou, não estava madura para fazer melhor, não tinha como ser diferente, não possuía capacidade.

Nesses casos, guardar ressentimentos não será uma loucura inútil? Exigir o que certas pessoas não possuem para dar significa falta de capacidade de perceber.

Por isso, é bom limpar a alma, alargar a percepção, tentar compreender e não exigir nada de ninguém.

Acham que agir assim é ser ingênuo? Antes ser "ingênuo" feliz do que com toda a nossa "esperteza" queimarmos por dentro, contorcendo-nos nas chamas da infelicidade e da dor.

Estou sendo simples demais? Claro. Quem disse que a vida é complicada? Só certas pessoas. Já repararam como elas sofrem? Pois é. Quanto mais complicado, mais errado. Afinal o que nós queremos mesmo é derrubar o sofrimento, a crueldade, a dor.

É escolher a felicidade, o bem-estar, a beleza, a harmonia, o amor. Para isso vale a pena tentar a compreensão interior e o amor incondicional. Não pensam como eu?

O cacoete

Você já teve um cacoete? Antes de responder, pense bem porque na certa você tem ou já teve um. Talvez nem perceba e se irrite quando alguém o menciona, tal é a maneira como nos habituamos a ele.

Você acha que não? Garante que sempre foi muito controlado, domina perfeitamente seus reflexos?

Talvez você não tenha o hábito de piscar sempre que se atropela com as palavras, esticar os músculos da boca quando deseja mostrar-se erudito, gaguejar quando embaraçado, rir quando está triste ou nervoso, repuxar os tendões do pescoço quando tenso, estalar os dedos quando não sabe o que fazer com as mãos ou com as pessoas, tossir quando o silêncio de uma assembleia é exigido, ter comichões pelo corpo quando precisa ficar parado em algum lugar.

Nunca fez nada disso? Será mesmo? Ou simplesmente você nem sequer percebeu o que fazia? Sim, porque a característica de qualquer cacoete que se preze é ser tão automático que a pessoa não nota. Agora, os outros sim, principalmente aqueles que se acreditam imunes.

Esses estão sempre de olho nos cacoetes alheios, salientando-os, como se eles realmente nunca tivessem cultivado um. E o curioso é que eles nunca percebem o próprio.

Foi observando particularidades sempre tão pitorescas — eu diria até especiais — que cada um tem que eu, quando estava no mundo, me baseei para escrever minhas peças de teatro. Isso não é desdouro nenhum, porque, pensando bem, essas pequenas manias, tão pessoais, aquele jeito todo especial, aquele ar tão seu que cada pessoa tem, longe de torná-las ridículas, individualiza-as.

É esse jeito que só ele tem de expressar-se que faz o artista, o gênio. Ele se torna cômico, dramático, lírico, ingênuo, romântico, dependendo da forma pessoal como interpreta sua arte, manifestando sentimentos, vivendo personagens, criando.

O cacoete, ao contrário do que muitos pensam, não é sempre ridículo ou cômico, muito embora existam os que se tornam muito engraçados.

Contudo, há dramas do cotidiano que, dependendo de como as pessoas os expressam, também acabam por tornarem-se cômicos.

Já notaram quantas piadas existem sobre velórios, viúvas, velhice, doenças e achaques? Afinal, o riso sempre está presente quando alguém cai, quando um marido descobre que foi traído, quando um rico fica na miséria, etc.

É por causa dos cacoetes. As pessoas exageradas e dramáticas provocam riso com seus trejeitos. É como assistir hoje em dia um filme do cinema mudo: anos atrás arrancou lágrimas das donzelas ingênuas, de seletas plateias, mas, vistos agora, provocam gargalhadas.

Se você acha que ficou fora e nunca teve um cacoete só porque não é artista, não critica os outros, nem nota nada de estranho em você, garanto que se engana.

Mesmo nunca tendo roído as unhas, espremido espinhas ou segurado a xicrinha de café levantando o dedo mindinho, você por certo tem um cacoete. Eu aposto que tem.

Aquele sorriso forçado quando está querendo ocultar o desapontamento, a maneira de arquear as sobrancelhas, as tonalidades de sua voz, sua postura corporal conforme as emoções, um certo ar quando pretende agradar, um jeito só seu, que embora esteja aí e as pessoas o identifiquem através dele, você nem percebe.

De tanto observar esses sinais nas pessoas, tentar captá-los para vestir os personagens de minhas peças, acabei por desenvolver bastante meu senso de observação.

Já na Terra, bastava olhar um pouco para as pessoas e logo eu captava seus principais cacoetes. Mas se naqueles tempos eu observava para escrever, aqui interessei-me em estudá-los.

Várias questões surgiram de pronto: os cacoetes seriam uma busca ou uma necessidade? Era a alma querendo expressar-se ou o corpo querendo chamar a atenção da alma?

Vocês vão dizer que como a alma é dona do corpo, quando ele desenvolve certo automatismo é porque ela deseja isso, uma vez que o corpo é só matéria que o espírito manipula.

Está certo, mas eu diria que o alerta é para a consciência. É para ela que a alma, o espírito, deseja mandar a mensagem. Sim, porque a alma, o espírito, engloba a essência divina, da mesma forma que a semente tem tudo para tornar-se uma árvore. Só que para amadurecer, crescer, como a árvore precisa da terra, da água, etc., a alma precisa das experiências com as formas, com o corpo, para tornar-se consciente.

O desenvolvimento da consciência é o grau da evolução da maturidade. O corpo é o instrumento de nossa alma, da essência que vive em nós, para tornar-nos mais conscientes a cada dia e mais lúcidos.

Por isso ele é revelador. Reflete sempre as necessidades e as conquistas de cada um.

Dentro desse conceito, os cacoetes são muito reveladores. Aqueles bem exagerados que provocam o riso aparecem para acabar com o orgulho, quebrar preconceitos e barreiras. Aparecem também com a crença de que a pessoa é uma "vítima" e não pode fazer nada para sair disso.

Carência afetiva é outro fator. Chamar a atenção, ainda que a pessoa não perceba isso, é uma forma de desejar apoio.

Mas o principal mesmo é a mensagem que a alma está enviando ao eu consciente, muitas vezes gritando suas necessidades de compreensão e de afeto, que a pessoa procura fora, nos outros, e que só ela tem e pode se dar.

Afinal, seu interior, o que vai lá em seu coração, só você pode perceber.

E se você observar seus cacoetes, que até podem expressar beleza, bondade, alegria, felicidade, perceberá a pessoa bonita que você é.

Aquele sorriso doce quando você olha as pessoas que ama, aquela lágrima que não chegou a cair mas pôs mais brilho em seus olhos quando se emocionou, aquele ar juvenil tão seu que o acompanhará quantos anos viver, aquele gesto especial quando presenteou alguém com prazer, são aspectos iluminados de sua alma que se refletem em sua maneira de ser.

E são só seus, tão seus que, quando você partir, será através deles que as pessoas que o amam recordarão você. Por eles é que os artistas nunca morrem e são sempre lembrados.

Não sente que está na hora de olhar para você e perceber, pelos sinais de seu corpo, o que sua alma quer dizer?

Hoje estou saudoso e inspirado. É muito bom crescer, aprender. Não sentem que tenho razão?

Impressão

Um impresso impressiona. Claro. Sempre será alguma coisa gravada em letras de fôrma, como que sendo algo já estabelecido e certo, que quase sempre tem efeito.

É por isso que, desde que o homem inventou a impressão, ela tem sido usada com tanto sucesso.

Pena que nem sempre a impressão seja verdadeira, isto é, pena que, fora as aparências, ela venha sendo tão mal usada, manipulada ou monopolizada por pessoas sem nada de verdadeiro para dizer.

Eu fico pensando: como seria bom se os critérios fossem outros e não se imprimisse tanta inutilidade. Observando quantas tolices são impressas, muitas vezes em papel de primeira, muito bem apresentadas, fico pensando como perdemos tempo quando vivemos no mundo. Quantas voltas damos para alcançarmos nossos objetivos.

Antigamente, eu não me conformava quando lia certos artigos ou livros, diante de tanta burrice institucionalizada. Claro, porque segundo a crença geral, via de regra, imprimir é quase institucionalizar.

Já repararam o número de pessoas que dizem "Eu li" como se isso bastasse para dizer "É"? A maioria nem sequer questiona o que estava escrito, aceitando logo como realidade absoluta.

É disso que certos políticos se valem para destruir um adversário temível. "Está no jornal" ou "Li em um livro" basta, principalmente se for para criticar. Aí, então, a coisa vai soprada ao sabor do vento da maledicência.

Se essas coisas acontecem na Terra, por aqui tudo é diferente. No começo, inconformado com o mau uso de uma das maiores conquistas do homem, que é a imprensa — que, observando agora do mundo onde eu vivo, mostrou-me a sutileza dos oportunistas, anulando as mais belas oportunidades das pessoas, os boateiros da crueldade empanando reputações, falseando verdades a soldo dos interesses pessoais —, tentei pôr ordem na casa, isto é, engajar-me num trabalho moralizador que os impedisse de obstruir o progresso.

No entanto, fui forçado a perceber que as coisas são como são e não como nós gostaríamos que fossem. Os critérios por aqui são outros.

Quando na Terra, nossos amigos espirituais mais adiantados em sabedoria nos permitem "brincar" com os acontecimentos.

Estão surpreendidos? Os espíritos sábios não estão conduzindo nossos destinos na posição de juízes, lutando para que estejamos sempre agindo certo? Não, não estão mesmo.

Isso, a princípio, deixou-me chocado. Por que não? Na Terra sempre me ensinaram que nossos anjos da guarda, os santos, os espíritos iluminados, estavam sempre circunspectos e solenes, a nos vigiar para ajudar-nos a vencer as tentações e sermos melhores a cada dia. Sofriam com nossos erros, como uma mãe amorosa sofre pelos filhos. E não é que aqui a realidade é bem outra?

Quando me disseram que aqui ninguém corre, sua ou sofre para impedir uma pessoa na Terra de cometer um erro, não aceitei.

Como?!! Saber que alguém fará algo errado, que sofrerá por isso e não tentar impedir?

Pois é. Nossos maiores não fazem nada. Não movem uma palha para isso. É que eles dizem que o erro educa mais do que qualquer coisa. Errar ensina, portanto eles com paciência esperam que a pessoa, que vinha sendo orientada de maneira mais suave e não conseguiu aprender, dessa vez consiga.

Demorou certo tempo para eu perceber o quanto eles estavam certos. Errar é um golpe duro em nossa vaidade e abre a consciência aos fatos reais, amadurece. Acabei até por compreender por que eles permanecem serenos, mesmo diante dos grandes dramas do sofrimento humano na face do mundo.

Confundindo sensibilidade com equilíbrio, cheguei a julgá-los sem bondade. Para mim, naquele tempo, vestindo ainda certo pieguismo natural da Terra, esperava encontrá-los preocupados e aflitos com a miséria, a dor, as doenças, as guerras, as hecatombes, que nos mortificam quando estamos na carne.

No entanto, eles estavam serenos, alegres, cheios de luz, como se nada os afetasse. Não era falta de sentimento? Bastava dar uma voltinha nos umbrais da Terra, na crosta, para sentir a angústia, a dor, o sofrimento. Como estar sereno, feliz, apesar disso?

Claro que não me calei. Falar, perguntar sempre foi meu costume. Protestei. Onde estavam os que combatiam o mal, os defensores do bem? Os preocupados em libertar a humanidade? Era a eles que eu pretendia me juntar para tornar-me um soldado do esforço de redenção.

Engajei-me em alguns movimentos que me pareceram bons, mas confesso que dentro de pouco tempo senti-me tão mal a ponto de ter que ser socorrido, sem haver conseguido ajudar a ninguém.

Mais humilde, depois de ter recebido socorro justamente daqueles que me pareciam mais insensíveis, resolvi observar melhor.

Foi assim que fui aprendendo a sair do exagero a que me habituara para perceber um pouco da realidade. Como não deixo escapar uma boa chance, perguntei certa vez a nosso orientador, espírito jovial e bondoso, sempre alegre, de quem recebera precioso socorro, o que me preocupava:

— Gostaria de ter a mesma serenidade que vocês têm. Como conseguem esse equilíbrio?

— É fácil. União com Deus o tempo todo.

— Seria o ideal. Como fazer isso?

— A certeza de que ele está agindo sempre e dispondo de tudo de maneira certa.

Não me dando por achado, continuei:

— Sempre me disseram que devemos colaborar com ele. De que forma?

— Sabendo que está agindo. Não obstruindo sua ação.

Não me contive:

— Isso eu sei. Mas e o sofrimento humano? Ajudar as pessoas não é colaborar com Deus?

Meu instrutor não se alterou, disse simplesmente:

— Depende. Há que saber o que será mais adequado. O que ajudará de verdade.

— Aliviar a dor, o sofrimento, não é sempre um bem?

— Deus fará isso sem nossa participação, se isso for o melhor.
— Como assim?
— Você conserva as impressões da Terra ainda muito presentes. Quando libertar-se delas perceberá que a vida no mundo é apenas uma fase de treinamento em que os espíritos brincam com as emoções, descobrindo como funcionam, dessa forma desenvolvendo valores verdadeiros do espírito eterno. Cada um só passa pelo caminho que escolheu com suas atitudes, e a vida vai reagindo, como mestra incomparável que é.

Um pouco decepcionado tornei:
— Quer dizer que tudo não passa de um treino?
— Um treino produtivo. Eu diria, até, uma brincadeira.

Fiquei chocado.
— Uma brincadeira?
— Claro. Afinal, o que fica da vida na Terra ao voltar aqui são as experiências, com as impressões boas ou não. Com o tempo, as ruins se desvanecerão, só ficarão as boas. Afinal, quem acredita na permanência do mal?

Compreendi. Não é que ele tinha razão? A situação na Terra é passageira. Não é que tudo estava certo no mundo? Como treinar bondade sem o assédio do mal? Como desenvolver nossa vontade sem as tentações? Como vencer a crosta de nossa resistência às mudanças do progresso sem o concurso da dor? Como lidar com as emoções sem viver uma, duas, tantas existências, vestindo um corpo de carne, treinando situações diversas, aprendendo a desenvolver nossa força interior?

Não é que eles estavam certos? Tudo não passa mesmo de uma brincadeira. Um faz de conta, como numa peça de teatro, onde os atores se repetem em diferentes papéis até o domínio completo de sua arte.

É por isso que agora, diante de tantas baboseiras escritas e publicadas, posso manter a serenidade e até me permitir certa curiosidade: como a verdade os alcançará?

Que beleza! Não preciso correr atrás de nada, nem provar nada a ninguém. A verdade é tão divina que agirá por si mesma sem que eu precise fazer nada. Não é um alívio?

Claro que posso continuar sereno, apesar de as pessoas se impressionarem com as letras de fôrma. Afinal, quem se ilude com elas um dia reconhecerá, decepcionado e aflito, o quanto foi imprudente.

Não é uma descoberta deliciosa? Viver valorizando a vida, percebendo sua luz, sentindo o brando calor da felicidade, não é genial?

Todos podemos ser assim. Vamos tentar?

Talento

Há quem diga que os artistas são pessoas muito especiais, diferentes das outras, seja pela originalidade de suas ideias, sempre fora do convencional, seja porque eles são confundidos com os personagens que interpretam ou com o gênero de atividade artística que resolvem desempenhar.

Desacreditados por alguns pseudojuízes do comportamento mais formal, endeusados por outros, todos eles muito mais ao gosto da fantasia, da imaginação do que da realidade.

Essa confusão chega a tal ponto que algumas vezes o próprio interessado acredita no que os outros dizem e acaba por confundir a própria cabeça, mergulhando tanto no faz de conta a ponto de perder os critérios da realidade.

O que fazer?

Quem já aprendeu a safar-se, tanto das críticas destrutivas e inconsistentes quanto da bajulação, sabe atravessar a cortina da fama serenamente.

Agora, quem é marinheiro de primeira viagem terá mesmo que naufragar nesse mar encapelado a fim de aprender.

Contudo, eu que já vi e passei por algumas experiências nesse mundo, sei que no fim tudo irá para os devidos lugares. Afinal, quem não aprecia o sucesso? Quem poderá esquecer esse fogo interior que arde no mais recôndito da alma e deseja expressar-se de alguma forma?

A energia do talento é tão forte que ninguém consegue sufocá-la por muito tempo. Ela irrompe soberana e consegue agitar multidões.

Aquele que a possui em grande dose é logo notado pelas pessoas e torna-se seguido por elas, que desejam beber um pouco dessa fonte.

Sim. Quem tem essa força interior jamais passará despercebido no mundo. Que energia é essa que tem tal poder? Que energia é essa que atrai pessoas podendo passar-lhes suas sensações?

É claro que alguns a possuem em maior dose, mas por pouco que tenha dela, essa pessoa será sempre simpática e bem-vista por todos.

Às vezes, fico pensando: a arte, o talento, é como um néctar que, uma vez experimentado, jamais será esquecido. É uma experiência tão marcante, produz tal sensação na alma que seu possuidor abandona tudo para senti-la de novo, para expressá-la.

Quantos, mesmo não tendo o sucesso prontamente, venceram as maiores dificuldades para perseverar em sua arte? Muitos pintores hoje famosos, escritores, músicos, poetas, apesar de não serem compreendidos por sua geração, permaneceram fiéis até o fim.

Pensando nisso, sinto um grande respeito por eles. Mas, ao mesmo tempo, recordando minha passagem pelo mundo, me pergunto: Será que, se minhas tentativas não tivessem sido um sucesso, eu teria continuado? Será que a chama que arde dentro de mim seria tão forte a esse ponto? Será que tenho talento mesmo ou meu trabalho não passou de um treino, uma brincadeira agradável de estudar o comportamento humano?

Vocês podem achar que sou pretensioso, mas a emoção do teatro cheio, dos aplausos repetidos, da alegria nos rostos na plateia, nunca poderei esquecer.

Não sei se o que me move é a força do talento, nem em que nível o possuo, ou é o calor humano, é o amor à nossa gente sempre tão generosa e alegre.

Ah! as perguntas que tenho feito na ânsia de compreender! Tenho comigo a certeza de que nosso progresso, nossa maturidade, nossa evolução estão centrados na compreensão.

Compreender significa perceber, avaliar, conhecer, saber, enxergar. Por isso, me perco em observações e questionamentos que possam abrir-me as ideias e ajudar-me a entender.

Quem é menos compreendido do que um artista? Cada pessoa nos vê através das próprias fantasias. Isso não é fascinante? Claro. Essa ausência de formalidade, a diversidade misteriosa que possuímos nos torna livres para expressar o que quisermos. Certo. Não dizem que somos loucos? Quem senão os loucos possuem a liberdade de dizer o que sentem?

No artista, no gênio, a excentricidade, o ser diferente da maioria, é natural.

Um artista! Que se espera dele senão que seja especial?

É por isso que quando decidi escrever, seja por possuir algum talento ardendo dentro de mim ou pelo desejo do calor humano da Terra que tanto amo, alguns caminhos foram-me oferecidos.

É claro que agora, fantasma no mundo, foi preciso sujeitar-me ao possível. Claro que perambulei pelas coxias dos teatros, tentando inspirar conhecidos e amigos, para transmitir minhas notícias. Confesso que cheguei, diversas vezes, a assustar pessoas ao tentar abraçá-las, falar-lhes sobre meus projetos. Que fazer?

Alguns sentiam minha presença, chegaram a ver-me de relance, mas ficaram tão assustados que bloquearam completamente nossas possibilidades.

Recordo-me que relutei em procurar um médium. Sabem por quê? Porque sempre tive medo das religiões. O que os homens fizeram com a ideia de Deus é tão perigoso que sinceramente eu não gostaria de me envolver.

Sabem que o fanatismo representa terrível escravidão? Pois é. Julgar-se dono da verdade absoluta, fechar a porta à experiência e aos fatos, separar pessoas, rotulando-as desta ou daquela religião, tem sido causa de grandes tragédias no mundo. Eu não gostaria de utilizar-me disso.

Sabem o que decidi? Continuar a ser artista. Mesmo me utilizando desse correio da mediunidade, contar como as coisas são, como nós as vemos aqui, sem divisão ou preconceitos. Onde os livros perderam a validade e só vale o que eu consigo experienciar. O resto, não desminto nem afirmo, fica guardado na fila da experiência, quando for minha hora. E deu certo, porquanto tenho podido expressar minhas ideias com certa liberdade.

Sabem como consegui? É que eu, que sou muito vivo, encontrei um médium que não me cerceou muito. É claro que procurei de todas as formas ajudá-la a abrir mais as ideias. Acham que fiz bem? Eu também. Melhoramos juntos. Afinal, não estamos ambos interessados em progredir?

E embora ainda os mais formais estranhem minha maneira livre de dizer, sempre desculparão dizendo: "Ele é curioso, original, era um artista". E eu fico feliz, porque, afinal, ser artista é manipular a energia divina e com ela atrair, unir as pessoas entre si e aprender a sentir a harmonia universal com Deus.

Não acham que tenho razão?

Reincidência

Há quem critique e até se arvore em juiz das coisas e das pessoas sem se preocupar em avaliar atitudes alheias, fatos ou acontecimentos com a relatividade dos humanos pontos de vista.

Claro. Cada um se acredita honesto, verdadeiro e eu até concordo que haja sinceridade nessa crença. Afinal, quem prosseguiria em qualquer ato se percebesse estar enganado? Quem desejaria errar? Ninguém, por certo.

O que vale para qualquer de nós é acreditar que estejamos agindo pelo melhor e ainda, quando tomamos uma decisão velhaca, quando damos vazão a nossas "espertezas" em prejuízo das pessoas, acreditamos que as "vantagens" auferidas sejam para nós o melhor, o mais eficiente ou produtivo.

Aí, vocês por certo estarão protestando. Como?! Eu nunca seria capaz de uma velhacaria. Aliás, esse termo pode estar até em desuso na linguagem moderna, onde ele foi substituído por outros como "vantagem em tudo", "jeitinho", acomodação etc., mas o significado ainda é o mesmo e continua na crista da onda.

Acham que exagero? Nada disso. Se o ladrão não acreditasse piamente que o melhor para ele é roubar em vez de trabalhar, desistiria da profissão.

Na verdade, nossa falta de experiência empurra-nos para uma dificuldade de percepção, um verdadeiro desvio da realidade, oferecendo-nos uma visão distorcida, parcializada.

Como se colocássemos óculos especiais que só nos deixassem enxergar modificadas as coisas que nos rodeiam.

Você acha que não somos ingênuos? Pensa que o homem inteligente, às vezes até ilustrado, não se classifica como ignorante? Pois eu penso que por mais ilustrado e inteligente que alguém seja, sempre haverá muitas coisas que ele ignora. E olhe que não falo de erudição ou ciência, falo do comportamento do dia a dia e até das pequenas coisas da vida.

O mundo está repleto de pessoas inteligentes e ilustradas, até com dinheiro e poder, que ainda não aprenderam a ser felizes. Tão inteligentes, tão sábias para certas coisas e tão ignorantes e despreparadas em outras.

Isso não quer dizer que estejamos condenados ao fracasso, nem que um dia não estaremos felizes. Ao contrário. A sabedoria da vida é tão grande que em todos os instantes nos instrui e esclarece de todas as formas.

Pena que nos demoremos a perceber suas lições e por isso, além de perdermos muito tempo, sofrermos mais, retardamos nossa felicidade.

Nossa mania de julgar a priori, sem entender a precariedade humana de nossas condições naturais, normais, porém transitórias, nos coloca como donos da verdade e brigamos por ideias, desejamos impingir nossas convicções como se elas fossem lei, sem pensar que talvez amanhã já as tenhamos modificado.

Não é uma loucura? Mas é verdade. A cada minuto somos submetidos a um verdadeiro bombardeio de fatos, pensamentos, pontos de vista os mais diferenciados, e à medida que abrimos nossa consciência, experienciando, pensando, reagindo, reciclando, vamos percebendo ângulos e facetas inesperados e tão autênticos que nosso raciocínio abre-se para novas ideias e conceitos.

Isso é vida. E diante dela podemos sentir que basta alguns minutos, em determinadas circunstâncias, para romper bloqueios de anos e anos de uma ideia considerada "verdade absoluta" em nossa mente.

É verdade que fatos como esse levaram anos amadurecendo dentro de nós para a glória daquele instante.

Todavia, isso vem se repetindo de tal sorte que seria bom colocarmos neles nossa atenção.

Afinal, estamos cansados de tantos volteios, tantas idas e vindas na Terra e no astral, nesse ciclo doloroso de nossos enganos e ilusões, sempre percorrendo os mesmos caminhos na assimilação morosa de nosso crescimento.

Principalmente agora, sabendo que está em nossas mãos a conquista da felicidade que sempre sonhamos para o amanhã.

Você duvida? Ainda pensa que sejamos vítimas indefesas de um mundo cruel? Talvez nem tão indefesos, mas certamente pecadores e culpados o bastante para comermos o pão que o diabo amassou durante muitos anos?

Você ainda carrega e alimenta dentro de você não só a ilusão de ser o dono da verdade mas também um juiz duro e severo que baseado em valores relativos e transitórios costumeiramente se torna a palmatória do mundo e, o que é pior, seu vigilante inexorável vinte e quatro horas por dia?

Não é bem assim? Acha que não? Julga-se pessoa equilibrada, correta, honesta e virtuosa? Será isso mesmo o que pensa a seu respeito?

Convém parar um momento, olhar com atenção.

A experiência tem me mostrado que quanto maior o rigor em nosso julgamento, quanto mais intransigentes e severos formos, maior é nosso medo de "escorregar".

Claro. Se realmente estivéssemos convictos de que somos amadurecidos, menos precisaríamos estar vigilantes. A vigilância sempre pressupõe receio, insegurança.

Percebi que as pessoas intransigentes, críticas, radicais, alardeando poder, sempre são as mais vulneráveis. Incomodam-se com o comportamento alheio porque dessa forma pretendem alcançar a própria segurança.

Ledo engano!

Nesse mundo mutável porém eterno, as coisas nem sempre são como nos parecem.

Acreditariam que a segurança está em abrir a porta? As barricadas podem nos parecer defesa, mas elas sempre precisam de força para cair e provocam a guerra. Entender sempre será melhor do que brigar.

Depois, a ilusão sempre provoca dor. Querer colocar regras estáticas em coisas mutáveis nunca dará certo! Quantas vezes fomos forçados a reformular conceitos? O triste é perceber quanto tempo consumimos agarrados a uma miragem.

O que nos dá uma noção mais clara da verdade? É não tentar explicá-la com a cabeça. O que é verdadeiro não precisa de palavras, a gente sente.

Aí, você vai dizer que estou sendo sentimental. Pode até ser, porém eu garanto que quando o sentimento é autêntico as coisas ficam claras em nossa cabeça. Tudo fica mais fácil e acabamos por entender que a felicidade pode ser nossa desde agora, se o quisermos.

Não se acredita capaz de vivenciá-la? Não será por causa da severidade de seu "juiz" interior? Não será ele que está lhe dizendo agora que você não merece ser feliz?

Cuidado! Você pode continuar dando-lhe crédito. E aí continuará protelando algum tempo mais sua maturidade. Nunca ouviu dizer que, no fim, todos conquistaremos o paraíso?

Está tudo certo, só que eu preciso esclarecer que esse "no fim" significa o tempo que só você decide quando. Quando você perceber que Deus é tão bom, mas tão bom, que deixou tudo à sua escolha, compreenderá o que afirmo.

Ele não julga nunca. Apenas espera que você cresça e aprenda a ser feliz. Para crescer, só é preciso querer, não colocar barreiras, abrir espaço, libertando-se das pretensas verdades e do julgamento social.

Liberte-se de seu "juiz" e deixe sua alma livre para sentir e se expressar. O mundo é seguro e Deus cuida de tudo com amor.

Você merece ser feliz, pode, é só cultivar a alegria, o bem e a paz. Não acha que com isso já seria bem-sucedido? Estou torcendo por você.

# *Decisões*

Tomar decisões! Esse é o pedaço em que todos nós nos perdemos no dia a dia.

Pudera! Nossa cabeça nos parece um ninho de ideias desordenadas, de pensamentos tumultuados e sem coordenação. Será que dentro desse contexto conseguiremos entender bem a realidade dos fatos e seguir uma linha razoável de raciocínio?

Certamente não! Ah! Pensar! Quem consegue controlar a cabeça? Quem consegue olhar para as múltiplas ondas que passam em nossos pensamentos, sem se envolver emocionalmente?

Conhecendo telepatia, sabendo que estamos todos dentro da mente universal e que por isso nos influenciamos mutuamente, como separar as coisas? Como perceber o que realmente é ideia minha e o que eu captei de outra pessoa?

Difícil, não? Pensando nisso ultimamente, consultei gente especializada, aqui no mundo onde eu vivo, e a princípio duas coisas se me apareceram claras: identificação e controle. Identificação pondo atenção para perceber quando os pensamentos estão agitados, e controle para brecar sempre que necessário.

Conseguindo isso, por certo já estaremos realizando muito em favor de nossa paz interior. Quem já não passou por momentos difíceis tentando segurar a avalanche de pensamentos desagradáveis, sem obter resultado?

Passei por isso várias vezes, tanto aí no mundo como aqui onde vocês até podem achar que eu estivesse livre dessas coisas.

Ledo engano. Que fantasma pode segurar o pensamento? Principalmente quando baixamos a guarda interior e recaímos no inconformismo ou na falta de confiança na vida.

Há quem pense que pelo fato de estarmos no astral, de já conhecermos a verdade sobre a vida após a morte, estejamos cheios de luz, alegria interior e livres dos problemas da Terra. Se fosse assim, nem sequer precisaríamos voltar a reencarnar no mundo para aprender.

Na verdade, estar aqui ou aí não muda nossos hábitos. O que muda é só o estado, nada mais. É por isso que em qualquer momento aprender vale a pena. Não importa a idade física quando vivemos na Terra, nem o tempo que ainda vamos permanecer por aqui. Aprender significa ampliar nossa consciência. Acrescentar, desenvolver, adquirir, conquistar. Tudo quanto fizermos nesse sentido será para sempre.

Às vezes, em determinados momentos, a vida apaga de nossa memória certas lembranças, temporariamente, mas elas permanecem guardadas em nosso subconsciente e oportunamente nos recordaremos delas.

Ainda nesse caso, será que mesmo guardadas e esquecidas elas não nos influenciam alterando nossas atitudes e comportamentos? Penso que sim. Afinal elas estão lá, nós as incorporamos em nossas vidas.

Mas o bom senso, o que nós realmente precisamos para mudar nossas vidas e sermos mais serenos e felizes, será perceber e conseguir brecar os pensamentos inúteis, negativos que nos inundam a mente.

Sempre que iniciamos esse processo, desejamos detectar de onde veio o pensamento que não queremos cultivar. Será por telepatia? Haverá um agente do qual o captamos ou será oriundo de nosso inconsciente? Confesso que essa pergunta fascinou-me longo tempo sem grande progresso para meu entendimento.

Até que um amigo espiritual daqui onde eu vivo perguntou:

— O que será melhor saber: de onde ele vem ou como modificá-lo?

Pensando bem, sempre que eu estava nessa situação o que eu queria mesmo era libertar-me da energia desagradável que vem junto com um pensamento de baixo teor energético. O que eu queria era voltar a me sentir bem, alegre e feliz. Por isso respondi:

— Melhor modificá-lo, vencê-lo.

— Para isso há que identificá-lo.

— Como?! Você disse...
— Não de onde ele vem mas como eu o captei, como abri minha sintonia para que ele conseguisse expressar-se. Sem isso, ele jamais me molestaria.
— Pode explicar melhor?
— Claro. Sempre que você perceber que seus pensamentos estão agitados, é preciso parar, fazer silêncio interior, frear. Essa será a primeira providência. Depois, quando estiver mais calmo, tentar recordar que atitude sua facilitou seu ingresso no negativismo. Às vezes, é sua ansiedade em fazer muitas coisas ao mesmo tempo, quebrando a divina ordem do universo, ou a sintonia com fatos ou lembranças desagradáveis do passado, ou mesmo os medos quando você subestima sua capacidade, quando valoriza mais o poder dos outros do que o seu próprio. Cito essas, mas existem outras que cada um encontrará por si mesmo.
— Até agora, você falou só de nós, mas, e quando existe um agente causador? E a obsessão? E o carma?
— Não importa de onde ele venha nem quem o manipule. Ele só o atinge se você permitir.
Protestei imediatamente.
— Isso não! Ninguém permitiria a infelicidade nem o que é desagradável! Já vi casos de perseguição e de vingança, terríveis. Sempre dão grande trabalho às equipes de auxílio.
— É verdade! Porém esses casos precisam de permissão de nossos maiores para serem auxiliados.
— Isso é verdade! Nem sempre obtemos sucesso como gostaríamos.
— Claro. A ordem Divina sempre será preservada. Ela exige que cada coisa seja feita no momento preciso, quando determinado teor de energia é alcançado. Sem isso, nada feito.
— Então o segredo está aí: o teor da energia!
— Exatamente. Já pensou como seria nossa vida, tanto aqui como no mundo, se captássemos todas as influências que estão ao redor?
Compreendi finalmente. Todos nos comunicamos na mente universal, porém cada um tem sua própria faixa de onda, onde se

sintoniza automaticamente com as influências equivalentes. Claro que temos algumas especificações na área, isto é, o grau máximo que conseguimos alcançar na atual fase de evolução e o mínimo que podemos suportar, já que para o negativo todos viemos de larga experiência.

É por isso que identificar como sintonizamos com a agitação, o negativismo, o momento desagradável, a doença, etc., incluindo a obsessão de agentes desencarnados ou não, será a melhor forma de nos libertarmos. Aprendendo como entramos, fácil será sair: basta melhorar nossa sintonia, pensando melhor, de maneira mais positiva e mais adequada, e logo estaremos livres das influências ruins.

Parece difícil? Certamente continuará sendo para você se continuar a julgar-se incapaz e despreparado para vencer na vida. Na verdade, todos somos iguais em oportunidades. As leis universais funcionam eternamente, beneficiando todos igualmente. Ninguém é vítima a não ser de si mesmo. Ninguém é prejudicado a não ser por si mesmo, ninguém fecha a porta à felicidade ou abre ao sofrimento a não ser por si mesmo.

Até aí eu vou, posso entender que somos responsáveis por nosso destino. Mas, e as decisões? Como tomá-las? Como escolher o melhor sem as influências dos pensamentos alheios ou sem me ligar com os fracassos passados?

Pensei, pensei e indaguei: será que conseguir conter a agitação mental, perceber como eu me sintonizo com coisas penosas e desagradáveis já não seria um bom começo? Se eu conseguir isso, não estarei em condições de discernir melhor? Acho que sim.

E se depois de tudo eu juntasse a confiança na Organização Divina, a certeza de que apesar de tudo eu posso errar sem culpa, aceitar os remédios necessários à cura e aprender as lições a que fizer jus, tudo será mais fácil.

Ao invés de ficar atormentado ao ter que decidir, saber que o erro faz parte da aprendizagem não facilitará as coisas? Afinal, todos somos donos de nossos pensamentos e podemos mudá-los quando quisermos. Não representa esse um enorme poder? Já pensou nisso? Percebeu o quanto você é poderoso?

Essa maravilha sempre me impressiona. Apesar de tudo que você faz com você, dos enganos e tudo o mais, a vida está oferecendo sempre o que há de melhor! Nisso ela não transige!

No momento em que você acorda, em que percebe o próprio poder e começa a usá-lo, tudo se transforma para melhor. Tudo muda, até o comportamento dos outros com você!

Não acredita? É pena, porque fazendo isso você protela sua felicidade. Não sente que seria mais vantajoso experimentar? Eu já comecei. E olhe que faz tempo. Pelo menos descobri que funciona mesmo.

Já pensaram que beleza? Eu posso criar minha felicidade! Eu posso afastar de mim a dor, o sofrimento, a infelicidade.

Só em pensar nisso eu me sinto como um semideus, forte, capaz. O que é bom mesmo é sentir que eu posso. Que eu sou digno! Que Deus sempre me considerou como tal ainda mesmo quando eu não sabia.

Como é bom conhecer a verdade! Como é bom saber estas coisas! Vocês não pensam como eu?

A *armadilha*

Procurando temas para minhas histórias, caminhei largo tempo por entre as alamedas floridas do parque, percorrendo com olhos ágeis e espertos o que havia ao redor. Tinha que ser um tema atual, interessante, que fizesse as pessoas pensar.

Claro. Pensar e compreender. Pode haver coisa mais difícil do que essa?

Geralmente vivemos enquadrados em crenças tão arraigadas que dentro delas nos tornamos qual autômatos, como que manipulados por um controle remoto, que no final das contas colocamos dentro de nosso subconsciente.

Você acha que não? Acredita-se livre e de posse de todo o seu arbítrio? Se isso fosse verdade, não teríamos tanta dificuldade em entender as coisas.

Afinal, todos somos dotados de inteligência e a burrice só sobrevive por causa do que estou afirmando. Sim, porque só quem está robotizado, inserido dentro de padrões estáticos de comportamento, acaba procedendo assim. Isto é, teimando, recusando-se a perceber as coisas como são, cultivando ilusões que por largo tempo só lhe têm trazido infelicidade.

O que fazer? Pensar. Aprender a pensar. Você acha que sabe? Você acha que pensa? Será? Não estará apenas racionalizando padrões inadequados, refletindo pensamentos captados dos outros nos quais acreditou, sem conotação com a realidade?

Parece complicado? Não é, não. É até muito simples. O que você um dia pensou, verdade ou não, da forma como você acreditou que fosse, ficou registrado em seu subconsciente como uma coisa real, tornou-se um padrão seu. Uma vez feito isso, você passou a agir de acordo com ele sem questionar mais sua veracidade. A crença, quando aceita, determina uma série imensa de pensamentos decorrentes que apenas a refletem. Pensar pode significar apenas isso, um reflexo do passado, nada mais.

Quando vejo pessoas radicais, sem o chamado jogo de cintura que facilita muito nosso relacionamento com os outros, percebo logo que elas não pensam. Não que sua cabeça esteja livre, o que até seria um alívio, mas elas estão apenas rememorando antigos pensamentos, reagindo a eles, certas de que estão "decidindo" tudo de forma adequada. Claro, adequada aos padrões que um dia, lá no passado, ela acreditou que fossem verdadeiros.

Nesse ponto, tenho me perguntado se encher a cabeça de regras e conceitos, nem sempre baseados na realidade, testados devidamente no dia a dia, não acaba por dificultar nosso progresso. Sim, porque pelo que tenho observado aqui onde eu vivo agora, os intelectuais, os literatos, os ilustrados são os que mais demoram a aceitar as coisas como são. Permanecem largo tempo envolvidos pelas formas-pensamentos que criaram, imbuídos de que conhecem a verdade, fechados às novas ideias de tal forma que quase sempre precisam de um choque traumático, desses que a vida é mestra em aplicar quando nos demoramos demais para seguir adiante, para acordar.

Mas eu não disse ainda o que é pensar. Pensar é olhar as coisas além daquilo que nos parecem ser, colocando indagações, buscando outras respostas além das que já possuímos, na certeza de que ainda nos faltam elementos para conhecer toda a verdade. E, o que é mais importante, testar novas ideias, novas possibilidades, procurando descobrir como elas funcionam, experimentando-as, vivenciando-as.

Ah! A experiência! Pode haver algo mais didático do que ela? Claro que sempre haverá o risco de não conseguirmos perceber seu total significado. Afinal, somos relativos e esse relativismo sempre modifica nossas necessidades. E é através delas, as experiências, que tudo nos acontece. São nossas necessidades que determinam esse ou aquele tipo de acontecimento em nossa vida.

Vai daí que compreender esse mecanismo facilita o entendimento. Quem deseja progredir, por certo deve aprender a pensar. Todos os grandes mestres, em todos os tempos, disseram isso.

O difícil é fazer a diferença. É sair dos reflexos e padrões já estabelecidos e aventurar-se a novas impressões.

Escolhi um banco sob frondosa árvore e sentei-me prazeroso. Ao redor, pessoas caminhavam normalmente, algumas conversando agradavelmente, outras caladas, mas nada observei que pudesse dar-me o que desejava.

— Dá licença?

Olhei o garoto alegre e despreocupado que sem esperar resposta sentara-se a meu lado. Não o vira chegar. Fixei-o indiferente. Não me parecia diferente dos muitos adolescentes que conhecera a vida inteira no mundo. Forte, rosto corado, olhos alegres e muito vivos, cabelos castanhos e ondulados. Sorriu para mim e, apesar de eu não ser muito tolerante a invasão, sorri também.

Ao contrário do que eu esperava, ele permaneceu calado. Aventurei:

— Está aborrecido?

— De forma alguma.

Olhei-o com o rabo do olho. Se não aparentava aborrecimento, também não demonstrava entusiasmo.

— Você é sempre assim, tão calado?

— Por que teria que falar se não há nada para dizer? — tornou ele com naturalidade.

Senti-me um pouco ridículo.

— Esse moleque está se divertindo à minha custa — pensei. — Sei como são esses adolescentes. Mesmo aqui conservam o espírito de gozação.

Preparei-me para responder com uma repreensão. Afinal, educação, respeito aos mais velhos, ensina-se em qualquer lugar, mesmo no astral. Ele, porém, não disse nada. Calmo, sereno, muito à vontade, parecia não se preocupar com minha presença.

Continuei em guarda. Eu sabia como eles eram matreiros. Eu mesmo, quando era moleque no mundo, divertira-me muito perturbando os outros.

Eu sabia que eles nunca ficavam quietos sem estarem mal intencionados. Mas se ele pensava que ia apanhar-me desprevenido, estava enganado.

Decidi contra-atacar. Já que não havia encontrado inspiração, e por certo agora, com ele ali, ela não apareceria, poderia pelo menos exercitar-me um pouco. Claro. Duelar com a juventude sempre nos adestra e atualiza. Penso até que por causa disso mesmo é que eles sempre estão à nossa volta no mundo.

Você acredita que ao vir para cá se livra deles? Puro engano. Não sei se porque eles precisam continuar a experiência mesmo depois de "mortos" ou se nós aqui é que necessitamos deles. O fato é que eles estão por aqui. Irreverentes, indisciplinados, alegres, ousados, gozadores, tal qual aí na Terra.

Estão decepcionados? Acreditavam que quem "morre" criança ou na adolescência, aterriza aqui adulto e amadurecido? Eu diria que alguns até têm esse poder. No entanto, com outros isso não ocorre. Claro que o desenvolvimento aqui não acontece como no mundo. O tempo pode ser mais longo ou mais curto, conforme o caso. Para mim, só os mais amadurecidos possuem o poder mágico de "morrer" como crianças e acordar adultos. Por isso, ser criança, no astral, era sinônimo de imaturidade. E dos imaturos poder-se-ia esperar tudo.

Aventurei:

— É melhor ir para casa. Está ficando tarde. Não é bom andar só por aqui.

Ele sorriu e respondeu calmo:

— Não há perigo. Fique tranquilo.

Sem me dar por achado, acrescentei:

— Está aqui há muito tempo?

— Sim.

Como ele não tivesse satisfeito minha curiosidade, continuei:

— Quanto?

Sem parecer molestado, ele respondeu:

— Mais de vinte anos.

— Vinte anos?

Não consegui esconder meu espanto. Claro que o caso dele deveria ser muito grave, porquanto, na pior das hipóteses, dez anos seriam mais do que suficientes para reintegrar e desenvolver qualquer um, conduzindo-o à fase adulta.

Senti-me paternal. Afinal, eu era pessoa experimentada. Vivera muitos anos no mundo, usufruía agora de confortável posição em nossa cidade, conseguindo estudar problemas do comportamento humano e escrevendo para a Terra, desejoso de passar minhas experiências para todos. Por que não ajudar aquele menino?

Assumi ar conselheiral e disse bem-humorado:

— Qual é seu problema, meu filho? Por que se demora tanto nessa fase de sua vida? — Não lhe dei tempo para responder e prossegui muito seguro de mim: — Seja o que for, você pode mudar isso. Aceitar seu crescimento sem medo. O mundo é lugar seguro, pode crer. Deus está no leme de tudo. Nada de mal vai acontecer, eu asseguro.

Foi no auge de minha ênfase verbal que, diante de meus olhos atônitos, ele se transformou em um homem maduro e calmo que me respondeu sorridente e alegre:

— Não se incomode comigo. Sabe, sempre que desejo relaxar, refazer minhas forças, mentalizo minha adolescência. É minha maneira de renovar as energias, recordar as emoções daqueles tempos, ligar-me com uma certa ingenuidade, uma pureza, cheia de luz e de alegria. Desculpe se o importunei, pareceu-me tão só, olhava para todos os lados e pensei em devolver-lhe um pouco de alegria.

Sorri desarmado.

Abraçamo-nos com sinceridade e ele se foi. Então, só então, percebi o que nos acontecera. Nós realmente não nos tínhamos encontrado. Enquanto eu refletia formas-pensamentos aos quais dera crédito no passado, ele também o fizera.

Quantas vezes em nossa vida isso acontece? Quantas vezes, ao encontrarmos pessoas, em vez de as vermos nós apenas refletimos coisas que estão em nossa mente sem nenhuma ligação com a realidade?

Confesso que fiquei preocupado. Pensando em passar para vocês novos conceitos que tenho aprendido por aqui, percebi que, embora já os tenha racional e intelectualmente aceito, ainda não os assimilei verdadeiramente.

Conforta-me pensar que saber disso já é de grande utilidade. De agora em diante, vou estar mais atento às ideias preconcebidas. Elas são sempre uma armadilha. Uma armadilha muito disfarçada para nos manter bloqueados e incapacitados de perceber.

De agora em diante, eu vou abrir minha mente. Nunca mais pensar nada de ninguém. Principalmente avaliar o comportamento alheio.

Não acham que, se eu fizer isso, nunca mais vou ficar desapontado? Estou certo que sim.

O seu poder

A luminosidade da alma se reflete através do sentimento. Conseguir expressar o sentimento da alma é refletir a lucidez divina. É fazer brilhar sua luz.

É importante discernir. É importante aprender a não bloquear essa expressão da energia superior que todos temos. Bloquear a essência é permitir que conceitos mundanos, sociais, não verdadeiros, programem nossas ações e sejam colocados entre a essência e a ação.

Agir obedecendo ao mundo, aos conceitos e regras feitos pelos homens, é comandar de forma mentirosa nosso destino, é materializar como realidade ilusões impossíveis, equivocadas, cujos resultados sempre serão inadequados e muito distantes de nossos desejos.

Esses conceitos foram temas de uma conferência a que assisti aqui, cuja forte impressão ainda está muito viva dentro de mim.

Ela se realizou no vasto saguão de aprazível Centro Educacional, dedicado a orientar os que já estão conscientes de suas necessidades e terão próxima reencarnação.

Éramos mais de cem pessoas, de várias nacionalidades. Como?! No astral há fronteiras de nacionalidade? Por certo. Aqui eu não diria propriamente nacionalidade, mas faixa cultural. Cada país, aqui, representa uma faixa cultural do planeta, cujos valores e crenças específicos favorecem o desenvolvimento deste ou daquele comportamento.

O certo é que naquele saguão eu percebi várias faixas culturais e inclusive o lado oriental, o que era novo para mim. Mas, segundo fui informado, agora, na Terra, é hora da mixagem, isto é, da união dessas culturas, que por caminhos diferentes e opostos chegaram ao mesmo ponto.

A vida é muito sábia e está juntando Oriente e Ocidente para que, havendo essa mixagem, um aproveite o que há de verdadeiro na cultura do outro.

A sabedoria, a verdade, sempre será a soma do conhecimento através da peneira da experiência.

Por isso, lá estávamos nós, naquele saguão, sendo preparados para escolher o curso (aqui curso é treinamento) que seria o mais indicado para nós.

Sabem de uma coisa? Eu adoraria poder descrever, mostrar a vocês o que foi isso. Foi muito mais do que uma conversa ou palestra, na qual o professor falou pouco e as coisas aconteceram ali, diante de nossos olhos.

Um laboratório? Talvez.

Há aqui um aparelho mágico que à medida que você conta uma história ou monta uma, verdadeira ou não, consegue fixá-la, materializá-la numa espécie de tela viva, de tal sorte que ela nos parece estar se desenrolando ali, à nossa frente, naquele momento, com as pessoas que você imaginou.

Entenderam?

Funciona assim:

Eu vou diante dela, da máquina, e penso em uma história. Claro que nesse ato entram minhas prioridades de desenvolvimento. Não se pode bisbilhotar apenas por curiosidade. O sistema é tão valorizado que só é permitida sua utilização por aqueles que realmente estejam interessados e preparados para auferirem benefícios.

Nessa altura, o experimentador já sabe em qual assunto tem maior dificuldade de automatizar e imagina que uma situação específica o favorecerá na reencarnação. Então, ali, ele cria mentalmente tal situação e a máquina, com esses dados, não só materializará visual e energeticamente o que foi pensado como irá além, mostrando as opções e os resultados.

É inebriante. É fantástico! É uma mágica tão grandiosa que não encontro palavras para descrever. O que sei é que o professor falou sobre o tema que abordei inicialmente, que representa a base para entender o objetivo a perseguir e a maneira como nos desviamos dele.

Foi uma experiência inesquecível! Colocar ideias nesse inusitado computador, vivenciar essa experiência foi como se eu tivesse o poder imenso de criar o destino, como se eu fosse o dono de minha vida. A sensação de poder, de domínio, foi forte e inesquecível.

A consciência do próprio poder, de manipular sua própria vida, é tão real que eu confesso: pela primeira vez me senti como Deus. Guardando o devido respeito ao Criador, foi como me senti.

Ao mesmo tempo, percebendo como os acontecimentos se desenrolam, como a vida trabalha, descobri que no fim, seja pelo Oriente ou seja pelo Ocidente, acabamos sempre nos juntando no mesmo lugar. Que maravilha!

Sabe o que a máquina faz quando assustados pelos resultados notamos que estávamos enganados em nossas prioridades? Ela apenas apaga tudo e na tela aparece a seguinte frase: vamos tentar outra vez?

Já pensaram que bom? Apagar tudo, tentar de novo, de outra forma, começar outra vez, sem problemas nem culpas, simplesmente tentando aprender algo melhor?

A essa altura vocês devem estar pensando que eu já esteja me preparando para reencarnar. Não é bem assim. O que é a vida aqui senão uma tomada de consciência de nossas necessidades e uma preparação para uma vida melhor?

No momento estou tentando aprender. Eu que sempre fui meio piegas, que embotei muito minha essência confundindo emoções com sentimentos; exigências mundanas com caminhos de crescimento espiritual; formalismo, caráter, com valores reais; enfim, que me perdi emocionalmente em vários momentos cruciais de definição de minha vida, desejo aprender bem a diferenciar o que é essencial, verdadeiro, espiritual, das acomodações e obrigações ilusórias do mundo. Estou me esforçando.

Afinal, gosto de aproveitar as oportunidades que me são oferecidas. Não é isso que nos torna ricos? E eu desejo ser rico em segurança, confiança na vida, na bondade e no amor!

Não acham que para eu saber tudo isso ainda vai demorar? Porque mesmo experienciando aqui, na segurança e no apoio e na compreensão que estou usufruindo nesta dimensão, eu precisarei de toda a minha força na Terra, quando estiver esquecido do passado, vivendo sob a pressão do meio social.

Finda a experiência, coloquei essa dúvida para o professor:

— Aqui eu me senti seguro. Gostaria de sentir essa segurança lá na Terra, reencarnado. Quantas vezes, dentro do corpo, desejei um sinal, um aviso espiritual, alguma coisa em que me apegar para tomar certas decisões e não encontrei nada. Ah! Se lá nós pudéssemos ter uma maquininha como esta, seria ideal! Mas como não é possível, o que fazer num caso desses? Como saber o que é essencial?

O professor fez-me um sinal a que eu me aproximasse. Cheguei diante da tela mágica e esperei. Iria ele mostrar-me a fórmula?

— Descreva sua sensação quando estava aqui. Qual foi sua experiência?

Não contive o entusiasmo:

— Senti-me seguro. Como se eu fosse Deus! Naquela hora, eu era o dono do poder. Era o criador de minha vida!

Ele sorriu:

— Esse poder é realmente seu! Nessa hora sua essência estava se manifestando. Você conseguiu obter o que essa experiência pode dar: a consciência do próprio poder. Porque é isso que você sempre faz. É o habitual. Lembre-se disso. O poder é sempre seu. Você é sempre um sucesso em criar seu destino.

— Mas, e quando eu fracasso? E quando as coisas dão errado?

— Na realidade, você não fracassou. Você realizou e jogou seu poder de forma inadequada e não gostou dos resultados. Mas se pensar bem, você sempre foi sucesso, mesmo porque não existe fracasso. Existe só o que causa prazer ou dor. Como você percebeu na experiência de hoje, depende de como você usa seu poder, de como você escolhe fazer as coisas.

— Quer dizer que eu já tenho esse poder?

— Sempre teve. Por isso, quando estiver lá na Terra e se sentir inseguro, é sinal de que você colocou seu poder no mundo, nas outras pessoas, nas coisas. Você voluntariamente abdicou desse poder e a essa altura você se achará muito "racional", "lógico". Sua cabeça estará mandando em você e dentro dela estão todas as regras e valores dos outros nos quais você acreditou. Para tomar seu poder de volta, para liberar a essência e se sentir como Deus, basta parar a cabeça, os pensamentos e sentir o que vai no coração.

Foi então que percebi que enquanto o condicionamento do mundo trabalha em nossa cabeça, o sentimento divino em essência está no coração. Calar a cabeça e deixar falar o coração é a fórmula mágica que nos liga ao espiritual e a Deus.

Não acham que aproveitei bem o curso? Isso foi tão forte para mim, tão verdadeiro, que estou certo que mesmo reencarnado na Terra irei me lembrar.

Quanto a vocês que já estão aí, por que não experimentar?

Retemperando

Às vezes é preciso retemperar as coisas. Por quê? Será que elas foram temperadas desde o começo e com o tempo foram se tornando insossas? Ou será que de tanto degustar perdemos a nuance, nos habituamos ao gosto e acabamos por nos tornarmos indiferentes a ele?

Pois é, a rotina continua a pregar essa peça. E o pior é que nós mergulhamos nela confortavelmente, prazerosamente, e eu diria até com alívio, porque ela nos oferece uma imagem de segurança.

Que ilusão! Nada é mais perigoso e inseguro do que a rotina. Fazer igual acaba por saturar. A mesma comida, ingerida todos os dias, perde o sabor, torna-se insossa.

Vai daí que com toda a nossa "sabedoria" e o desejo de felicidade, mergulhamos conscientes e prazerosos na repetição enganosa de atos e atitudes.

De onde vem nosso medo de mudar, de buscar o novo, de experimentar outras situações? Será a preguiça de crescer, de fazer esforço para adaptar-se? Ou será a busca da estabilidade, do equilíbrio que nos projeta justamente no oposto? Será que a vida gosta desses contrastes, conhecendo nossa maneira de aprender, e age assim para nos defender de nossos enganos?

Não sei. Ainda não encontrei resposta clara. O que sei, por experiência própria, é que nada é mais ilusório do que nossa estabilidade. Para nós, o estável é o parado, o que permanece imutável. No entanto, ao que tudo indica, nada é estático no universo. Tudo é movimento, tudo é ação.

De onde será que tiramos esse conceito de que o imutável é o que está parado? Às vezes fico pensando, pensando: será pelo fato de que nossos olhos de carne são tão lentos que não percebem o movimento dos corpos sólidos na Terra? Ou será que mesmo

com o aparecimento do microscópio, no fundo, no fundo, nós não acreditamos no que vemos?
Sim, porque há o tato. Tatear coisas nos dá a sensação de imobilidade. Segurando um livro nas mãos, sentindo-o, quem pensaria no movimento de seus microorganismos e na coesão de sua estrutura?
Vocês acham que estou sendo muito formal? Bem, nossos conceitos de ciência, aprendidos em nossa juventude no mundo, ainda atuam, dando-nos condições de análise comparativa, mesmo aqui, onde os olhos já são outros e os conceitos, muito modificados.
Nossa crença entre estabilidade e falta de movimento talvez venha de nossa incapacidade de perceber e diferenciar a verdadeira estabilidade do que não tem movimento.
É claro que eu poderia dizer que nada jamais está parado, ainda que não estejamos percebendo, e aí vocês vão dizer que ela sempre existiu e jamais mudou ou então não seria eternidade.
Será? Será que ela se movimenta mesmo ou tudo está parado e nós é que nos movimentamos, nos tornando conscientes, e vamos aprendendo a ver?
Isso tem ocupado meus pensamentos, não para enlouquecer minha cabeça, claro, mas na vontade de poder situar-me na vida. De poder melhorar meu equilíbrio, porque, afinal, o que eu quero mesmo é minha estabilidade emocional, é minha harmonia interior.
Tenho aprendido que, quando percebemos os fatos claramente, sofremos menos. E para ser sincero mesmo, o que eu desejo é ser feliz. Você, não?
Afinal, as coisas são o que são, como são, e nós não temos o poder de modificá-las. Mas temos todo o poder de escolher nosso caminho diante delas e experimentar. É verdade que isso nos assusta um pouco e aí vem a vontade do imutável. Mas como conhecer a vida sem viver? Como aprender a lidar com as pessoas sem se relacionar com elas? Como sentir amor sem experimentar emoções e cultivar sentimentos?
Nesses casos é preciso sempre viver. Não se pode conhecer sem experimentar. E como aprendemos pela saturação, isto é, pela repetição, acreditamos estar seguros quando formamos certas

crenças. Talvez seja por isso que tenhamos associado estabilidade com o imutável. O eterno oferece a sensação de segurança. Vocês não acham?

Enquanto o novo nos coloca logo na defensiva, nossa força vem à tona e nos preparamos com dogmas ou frases como "Estou preparado caso aconteça o pior", "Devo prevenir-me no caso de dar errado", "As pessoas são perigosas até prova em contrário".

É aí que a coisa pega. E se eu dissesse que o novo não existe? Que tudo no universo é velho? Que tudo existe desde sempre?

É, eu estou confundindo sua cabeça. Mas não tenho intenção. Sabem em que eu acredito? Que no final das contas, tudo segue tão certo, da melhor forma, que cada um de nós consegue andar dentro de seu próprio ritmo, com seu próprio passo, crescer conforme pode, porque essa é, até certo ponto, opção nossa.

Mas eu, que já sei que posso evoluir sem sofrimento, escolhi esse caminho. E sabem o que encontrei? Que o maior problema é o medo do desconhecido, como se a vida não tivesse rumo, fosse desmiolada e se divertisse em nos pregar peças.

Você não pensa assim? Não mesmo? Então, por que é que você recorre a seus padrinhos espirituais (sempre muito afamados no mundo), como protetores, nas igrejas ou nos centros espíritas ou até em suas orações?

Não que orar seja ruim. Ao contrário, nos dá forças, nos harmoniza com as energias superiores, nos ajuda muito. Mas tenho notado que a maioria recorre à oração como seres apavorados e inseguros, mergulhando no sagrado, acreditando piamente que os anjos ou os espíritos superiores sintam-se realizados vendo-os a seus pés, contritos e humilhados (humilhar-se diante do sagrado é altamente prestigioso, dá ideia de pessoa humilde — e o humilde vai para o céu), solicitando favores, para no dia seguinte ou até antes disso, cometer os mesmos enganos, cultivar as mesmas ilusões, demonstrando exatamente sua falta de fé em Deus, ou na vida, alimentando o medo e a insegurança.

Sabem de uma coisa? Foi observando as atitudes de alguns espíritos superiores que têm visitado nossa comunidade que eu percebi. Eles são muito serenos e por mais que nós estejamos cheios de problemas, tumultuados, eles não perdem a calma. Por quê? Porque "sabem" que podem confiar na vida.

Eles não tentam conduzir ou manipular as coisas nem as pessoas. Simplesmente acreditam que a vida tem seu próprio processo e que a eles, caso se disponham a ajudar, compete apenas compreender e facilitar esse processo.

E sabem que eles sempre conseguem o que pretendem?

Quanto a mim, o jeito melhor será tentar pelo menos compreender como as coisas acontecem. Sei que o imutável se mantém através do movimento. Logo, ficar parado é contra a segurança. Aprendi que seguro mesmo é pôr atenção ao que vai dentro mim, ao que sinto, para não cair na rotina e na estagnação, para que a vida não precise me arrancar de lá de forma dura e irresistível.

Acham que sou esperto? Sou mesmo. Quando se trata de salvar minha pele, sou ágil e atento. Não acham que a inteligência nos foi dada para isso? Desta forma, estando atento, não me permito mais desconfiar da vida.

Como dizer que confia em Deus duvidando dele? Afinal, confiando eu me dou a chance de viver melhor, em paz, sem medo nem insegurança. Por isso descobri o que era insosso em mim. Agora, sem rotina, aprendendo a aceitar o novo, tudo se modifica favoravelmente. Acontecem coisas inesperadas e agradáveis. E se por acaso vem algo que não agrada, eu posso perceber como me sair melhor da próxima vez.

Esse retemperar das coisas da vida renova o sabor de viver e nos faz fortes o bastante, e, o que é mais importante, nos faz viver melhor e mais felizes.

Não concordam comigo?

Ajuizando

Envergando a toga pomposa e negra eu me sentia o próprio Deus! O dono do destino.

Era como se ao dar a sentença eu determinasse como seria a vida daquelas pessoas dali por diante.

Era uma sensação de autossuficiência, de poder, de supremacia, tão forte que me fez sentir muito importante. Tão importante que todos os detalhes de apreciação dos fatos passaram a ser secundários para mim.

Era tão bom, eu me senti tão à vontade no comando, no julgamento, que nem sequer considerei estar ali pela primeira vez. Mas eu estava.

Quando na Terra, nunca fui juiz de nada. Não que os outros não tenham tentado colocar-me nesse papel, mas eu safava-me deles por acreditar não ter nenhuma vocação.

Mas agora, no uso desse poder, percebi como estivera enganado. A volúpia de decidir a vida dos outros, de achar que poderia saber o que seria melhor para eles, deu voltas à minha cabeça. Pudera! Sabem o que eu descobri? Que minha falsa isenção, meu velho hábito de não querer dar palpites na vida alheia não se originava de uma lucidez interior, da crença em meus limites naturais, mas da indiferença pura e simples do que viesse a acontecer com eles.

Reconhecer isso foi difícil, confesso. Deixar o papel de homem íntegro, bom, humanitário (humanitário no mundo é aquele que se penaliza, que sofre, sua com o sofrimento dos outros) e eu não sentia nada disso.

É realmente penoso. Vocês estarão pensando que eu agora optei por ingressar na magistratura. Engano. Eu até nem teria tido essa ideia, não fora por sugestão de meu mestre de teatro.

Estão surpreendidos? Fantasma fazendo escola dramática? Só que o nome aqui não é esse. Arte dramática é o nome na Terra, onde aliás as pessoas adoram dramatizar, com arte ou sem ela. Aqui, chamamos de Arte de Viver. O que quer dizer, aprender a viver bem, sem dores ou sofrimentos. Eu não disse que havia escolhido esse caminho? Pois é. Agora, estou tentando aprender a viver melhor, sem dor, sem medo, sem luta.

Como?! Quem é que pode viver sem lutar? Como vencer na vida sem a luta? Eu afirmo que nosso desejo de lutar contra acaba inevitavelmente por reforçar exatamente o que desejamos evitar. Nunca observaram isso? É verdade.

Quanto mais força eu ponho em lutar contra, mas estou demonstrando minha insegurança. Quando eu acredito em algo, eu sei que é verdade, não preciso lutar.

Mas o curso que estou fazendo é ótimo. É como no teatro. Há um script, com personagens, situação, tudo. Estudamos nossos papéis e vamos ao ensaio.

Confesso que me senti como um peixe dentro d'água. Há quanto tempo eu não representava? Mas se nos teatros da Terra nós fazíamos encenação vestindo o personagem, estudando-o, interiorizando-o e tentando dar-lhe vida fictícia o mais real possível, aqui tudo acontece de forma bem diferente.

O personagem é que veste nossa personalidade e aparecemos tal qual somos. Era como se eu fosse reencarnado na Terra, houvesse estudado leis e estivesse realmente efetuando um julgamento. Dá para sentir a diferença?

Não é o personagem que nós escolhemos fazer, ou que o texto pede, ou ainda que o autor determinou. Não. É você. Como juiz. Sentindo emoções reais, seus sentimentos, tudo. Não é um faz de conta, como nos teatros da Terra, muito embora eu saiba por experiência própria que nossos sentimentos, nossas emoções participam também, mas é algo muito mais forte e real.

E se juntar ali várias pessoas, todas dentro do mesmo processo, você perceberá o que pode acontecer. Não é como um psicodrama, no momento tão utilizado pela psicologia terrena, é muito mais.

Há algo que ainda não sei explicar, um toque mágico dentro daquela sala cheia de energias e instrumentos especiais que nos sensibilizam, atenuando nossas ilusões, permitindo a afluência de nossa realidade interior. Não como uma catarse fragmentada e esporádica, mas como um estado especial de consciência em que nos permitimos deixar as máscaras às quais nos habituamos e, ao invés de representar um papel, libertamo-nos deles. Deu para entender?

É mais fácil para mim pensar que aquele juiz vaidoso, cheio de si, indiferente ao sofrimento alheio, seja apenas um papel que estou representando do que admitir que quando eu deixo de lado aquilo que eu penso ser, os bloqueios e os enganos, eu sou exatamente assim. Nem mais, nem menos.

Talvez seja por isso, para suavizar um pouco nosso choque com a realidade, que eles usam o teatro. Mas eu, diante do que senti ao participar, desconfiei da verdade. Foi tão forte a sensação brotando dentro de mim que não tenho como me enganar.

Fiquei decepcionado. Eu não era tão humanitário quanto pensava. Não sentia tanta piedade pela dor alheia como desejava. Eu não era tão bom quanto almejava ser.

Vendo meu ar sério e um pouco frustrado, meu amigo Jaime aproximou-se:

— E então? — indagou — Como foi sua primeira aula?

Balancei a cabeça indeciso.

— Pensei estar melhor. Não sei se estou preparado para esse curso.

Ele sorriu e disse com certa malícia:

— Vai fugir?

— Eu?! Não — respondi meio sem jeito. — Não é bem isso. Eu pensei que já estivesse preparado para aprender a arte de viver sem sofrer, e sinceramente creio que ainda não estou.

— Por que acha isso?

— Porque descobri coisas nada lisonjeiras sobre mim mesmo. Assim sendo, não posso pleitear a felicidade sem dor.

— Quer dizer que ainda deseja continuar se castigando?

— Eu?!

— Sim. Não pensa que já vem fazendo isso tempo demais?

— É que eu não sou tão bom quanto eu pensava. Não é que eu goste, sinta prazer em ver pessoas sofrerem, mas eu não sofro por isso. Não consigo sofrer com elas. Sou indiferente. Descobri que vinha fazendo papel de homem bom, fingindo sofrer com eles, sem sentir realmente. O que eu queria mesmo é que os outros me achassem ótimo.

— Por uma primeira aula sinto que você aproveitou muito. Perceber nossos verdadeiros sentimentos abre as portas de nossa lucidez, favorece o conhecimento, a sabedoria. É por isso que neste curso nós cuidadosamente utilizamos recursos especiais que por certo afastam as formas-pensamentos que você criou a seu redor. Coisas que você estabeleceu como sua proteção temporária, para que possa, longe dessas influências, experienciar seus verdadeiros sentimentos. Conhecer-se é sem dúvida importante elemento de progresso. Perceberá que fingir um sentimento de piedade só por convenção social não ajudará em nada. Só fortalecerá sua ilusão, sua vaidade. E, um dia, quando menos esperar, notará que dentro de você há sentimentos de amor ao próximo, verdadeiros e profundos, que lhe mostrarão como envolver as pessoas com ele, dando-lhes não só o que elas realmente precisam naquela hora mas da maneira como você pode.

Senti-me comovido. Não consegui falar. É que, de repente, eu senti um calor no peito, percebi um sentimento generoso e forte de amor, de alegria, de prazer, que me emudeceu. Tive vontade de abraçar as pessoas, cantar, dançar, sorrir. Não é que eu era capaz de amar?

Apertei as mãos de Jaime com força e prometi a mim mesmo que, fosse o que fosse que eu descobrisse sobre mim, eu iria continuar. Afinal, a verdade é sempre melhor e mais útil do que a ilusão. Vocês não pensam como eu?

O repolho

Vocês já olharam bem para um repolho? Redondo, pesado, sem espaço a ser preenchido, enrugado, apertado, indigesto, e quando você tenta cozinhá-lo para torná-lo digerível exala mau cheiro?

Alguns defensores ardorosos da ecologia estarão pensando: o que você tem contra o repolho? Ele pode até ser gostoso. Aliás, muita gente os aprecia. E olhe que há boa variedade deles, roxo, verde-escuro, verde-claro.

Eu não tenho absolutamente nada contra ele, partindo do princípio de que Deus é versátil e há gosto para tudo. Porém, olhando bem para ele, tomando um entre as mãos, não é tal qual descrevi?

Por que a implicância de pensar que eu esteja criticando a natureza, falando mal dele e esteja contra só por ter dito a verdade?

Pois é. A verdade, só a verdade é o que é, sem maldade ou intenções ocultas. Mas, e a malícia? E o julgamento? E aquele convencionalismo tão presente que sem falar nele todos o expressam?

— Não. Ele odeia repolho! Ele disse que é pesado, indigesto, malcheiroso. Logo, ele o odeia!

E se eu disser que o aprecio, que cozido com arroz fica gostoso e sinto água na boca só em falar nisso?

— Como?! Você não acabou de falar mal dele?

Será que pelo fato de eu apreciar o repolho cozido com arroz ele perdeu suas reais características? Ele, cru, deixou de ser pesado, com folhas enrugadas, apertadas entre si e indigesto?

Claro que não. A constatação de uma realidade jamais pode ser um mal.

O que é detestável é a atitude hipócrita de encobrir as coisas, tentar adoçá-las, de dourar a pílula para parecer o que não é.

O ruim é nosso julgamento, colocando adjetivos na verdade, pretendendo com eles criar o que não existe. Às vezes isso é tão forte em nós que acabamos por nos tornar incrivelmente maliciosos e excessivamente hipócritas.

Estou sendo rude? Pode até ser.

Mas o que é malícia senão hipocrisia? O que é julgamento senão um faz de conta?

Na Terra nos habituamos aos faz de contas.

Afinal, começar uma nova vida é quase isso. É fazer de conta que somos uma nova pessoa. É vestir o velho personagem com outra roupagem e experimentar outros papéis.

Mas, como o repolho, nós — apesar do faz de conta e da hipocrisia — sempre continuaremos a ser iguais, a conservar as mesmas características que tivemos.

Isso seria desanimador, porque apesar do esforço em nos acertarmos no novo papel, ainda seríamos iguais em essência. E, na verdade, temos atravessado reencarnações e reencarnações substituindo roupagens e papéis, sem mudança substancial.

— Como?! Então tenho sofrido em vão? Não estou me purificando pela dor? Não é ela que me ajuda a evoluir?

Eu diria até que sim.

A dor é mesmo um chute em nosso comodismo, mas não é só ela que conta.

No fim mesmo, para ser exato e objetivo, o que nos empurra de fato, o que nos faz caminhar realmente é nosso consentimento, nossa adesão, nosso dizer sim à vida.

Acham que estou louco? Que me enganei? Posso provar o contrário.

Você pode atravessar décadas e décadas nessa de pensar que a dor purifica, sem avançar um milímetro em sua evolução. Como você faz isso? Fácil.

Para que a dor possa purificá-lo, é preciso que você carregue a culpa, seja lá do que for. Logo, acreditar nisso é sentir-se pecador, errado, culpado. E enquanto você pensar assim, sua força está acovardada. Você não tem nenhum poder. Você é uma pessoa fraca, vítima do destino.

A vítima não tem maturidade, o inseguro não tem força. O que precisa purificar-se é o incapaz, o errado, o malvado.

Tenho observado e aprendido aqui que a maturidade não é nada disso. O adulto, o homem maduro, o sábio, coloca sua força a serviço de seu próprio progresso. Ele sabe que o erro garante a aprendizagem e não se sente culpado por isso. Logo, não necessita purificar-se de nada.

Aqueles que não percebem isso gastarão larga cota de tempo, vestirão personalidades diversas em múltiplas encarnações, sempre vivenciando a dor, até que um dia descubram sua inutilidade. Aí ela desaparecerá, e então realmente o progresso foi verdadeiro, aconteceu.

Acham que estou sendo otimista? Que eu exagero? Pelo contrário. Diante do que sei e estou aprendendo aqui, eu diria que estou sendo até muito discreto. Bem que eu gostaria de dizer tudo, mas qual o quê, nem pensar. Nesse caso, o excesso de remédio poderia matar o doente.

Se vocês duvidam até do pouco que estou contando, como ir além? É claro que eu pretendo conseguir mais. Não sou conformado, sempre desejo ir adiante e diminuir um pouco a distância entre o real e o irreal.

Se eu dissesse que esses valores estão invertidos no mundo, vocês acreditariam?

Sabem que o que vocês aí colocam como sendo o real, físico, palpável e seguro é exatamente o irreal, o passageiro, o transitório, o que "parece" ser? Pois é. E o que está distante de vocês, o mundo energético, a movimentação dos elementos, as outras dimensões em contato com a Terra, o corpo astral, a troca de experiências sensoriais, que vocês consideram como irreal, é o que existe, é o efetivo, o estável, o verdadeiro.

É muito louco isso?

Parece, mas não é. Porque mesmo um simples repolho pode ser muito mais do que parece na realidade da Terra. Mesmo sendo para vocês pesado, indigesto, apertado, enrugado, redondo, etc., ele, em suas fibras, tem capacidade energética de expulsar do corpo humano determinados tipos de amebas astrais e tonifica o movimento peristáltico, e isso só para falar na área corporal terrena.

Agora os ecologistas vão dizer que estou me redimindo, falando bem dele quando estou apenas relatando um fato, algo real e definido.

Claro que há o lado bom. Afinal, na vida só existe o bem. Assim sendo, quem se atreverá a acreditar no mal? É por isso que perceber como é, o que é, sem adjetivos ou conclusões apressadas, sempre será estar com os pés no chão. E quem está plantado com a verdade está garantido contra as desilusões e as decepções.

Vocês não pensam como eu?

O *show*

Embarafustando pela sala um tanto afoito, nem sequer percebi que estava retomando um velho comportamento que tinha no mundo. Só quando diversas pessoas voltaram-se para me olhar foi que, qual menino travesso surpreendido em falta, perdi o jeito, indo postar-me discretamente, o que não era de meu feitio, a um canto no fundo da sala.

É que a emoção e o entusiasmo foram tamanhos que a euforia tomou conta de mim. Pudera. Não era sempre que eu tinha oportunidade de presenciar um espetáculo como aquele.

Embora muitos aqui pretendam copiar nossos instrutores dos planos superiores, sempre serenos e equilibrados, eu ainda não consigo.

Quando vibro com alguma notícia ou sinto alguma emoção forte, não posso conter-me. Permito-me desfrutá-las no encantamento do novato que se deslumbra e gosto de expressar o que me vai na alma, e isso, por vezes, atrai a atenção dos outros.

O que fazer? Tenho aprendido muito, porém ainda não penso que seja bom dominar a emoção a ponto de sufocar o entusiasmo. Sinto que se eu fizer isso perderei o prazer de viver.

Pensando assim foi que eu disse que muitas pessoas por aqui copiam a serenidade de nossos instrutores e eu percebo que acabam se tornando indiferentes ao invés de serenos, empobrecidos ao invés de felizes.

Não que nossos instrutores sejam tudo isso. Ao contrário. Eles são muito ativos, entusiasmados e seguros. Possuem a segurança da experiência e do conhecimento, a certeza da fé. Têm consciência. Sabem. A serenidade deles vem dessas conquistas. É natural.

E apesar de compreender que eles estão mais adiantados, que são mais conscientes do que nós, há muito descobri que ainda não somos como eles. A princípio, também desejei imitar-lhes as atitudes. Cedo compreendi que quando forçava uma atitude contensiva, obrigando-me a conter e sufocar minhas emoções, acabava por cortar toda motivação e alegria.

Claro que há muito tenho estado atento para perceber o teor das emoções que sinto e não deixo por menos. Quando elas são desagradáveis, ao invés de expulsá-las drasticamente procuro olhá-las na intenção de discernir os fatos que as determinaram, sem julgamento.

Isso tem contribuído para eu perceber como entro nesses estados depressivos e posso ir me livrando deles.

Acham que sou condescendente comigo mesmo? Se eu, que posso saber o que me vai no coração, não fizer isso, quem não tendo essa possibilidade conseguirá fazê-lo? Dentro de nosso relativismo, como ser radical sem ser injusto? Já notou o quanto você exige de si mesmo?

Eu também fazia isso. Era um juiz severo e exigente cobrando de mim atitudes que eu ainda não sabia como fazer.

O resultado era viver sempre frustrado e me achando sem capacidade. Haverá causa mais desmotivante do que essa, de julgar-se inábil, incapaz e menos do que se é?

É o orgulho que exige que nós façamos mais do que aquilo que já sabemos fazer, acenando com modelos de superioridade e perfeição.

Sabem de uma coisa? Desde que humildemente resolvi não ser mais do que sou, descobri que em muitos aspectos eu já sou bastante bom. Já sei fazer. Já posso dizer e fazer.

Isso é gratificante e me dá a certeza de que as outras coisas, aquelas que eu gostaria de saber mas ainda não tenho habilidade, virão naturalmente com o tempo, desde que eu continue ativo e atento fazendo o que já posso.

Não é formidável? Foi por isso que eu, apesar da euforia um tanto exagerada e do embaraço dos primeiros momentos, saí do cantinho onde me recolhera e fui tomar assento na primeira fila.

Apesar de lotado o salão, a primeira fila estava vazia. Olhei bem e, como não estava reservada, tomei assento. Acham que fui atrevido? Que desejava chamar a atenção? Nada disso. O que eu queria era ver de perto, não perder nada.

Agora, depois que eu descobri o quanto a vaidade me limita, mudei a atitude. Fiz o que sentia. Respeitei meus sentimentos de fã entusiasmado.

E foi bom, porque outros companheiros que queriam, porém não ousavam, tomaram assento logo depois, com olhos brilhantes de entusiasmo.

Naquela tarde eu havia voltado de uma excursão de trabalho e logo ao chegar em casa ligara meu aparelho receptor para ver as novidades. Então, vira a grande notícia. De passagem por nossa cidade, Isadora Duncan daria uma sessão no grande salão de arte.

Seria a única apresentação e os interessados poderiam dirigir-se à administração para conseguir um lugar.

Senti-me eufórico. A grande Isadora, a quem eu em minha juventude vira em Paris e me arrebatara com sua arte maravilhosa! Essa eu não poderia perder. Apressei-me, porquanto a tarde findava e estava quase na hora.

Preparei-me rapidamente e fui pessoalmente à administração. Foi difícil, devido ao grande número de pessoas, e quando finalmente consegui estava na hora de começar. Como não ficar eufórico? Como não recordar a juventude, a viagem, o espetáculo, a família, o entusiasmo passado, enfim, tudo que essa presença representava em minha vida?

Passei os olhos pelo salão lotado, já agora sem um lugar vago. Havia expectativa e curiosidade. As pesadas cortinas verde-musgo do palco estavam cerradas e eu me perguntava como seria o espetáculo.

A sala escureceu, o silêncio se fez. A pesada cortina desapareceu e em meio à escuridão do palco surgiu uma névoa prateada que foi crescendo e aos poucos tomando uma forma de mulher. Lentamente, seu rosto, seus braços e seus pés foram emergindo daquela névoa prateada que se transformara em delicado e diáfano vestido, apareceram translúcidos e coloridos como uma estátua de biscuí. Foi deslumbrante, e o público aplaudiu freneticamente, explodindo num entusiasmo inenarrável.

Formas coloridas de pessoas com seus instrumentos dançavam no ar, nesse palco fenomenal, executando a mais linda melodia que meus ouvidos já ouviram.

Quando ela, deslizando, aproximou-se da plateia curvando-se em saudação graciosa, as longas e lindas mãos estendidas, eu delirei. Aquilo não era real. A beleza era tanta que senti vontade de rezar.

Ela começou a dançar e dela emanavam luzes coloridas enquanto seu corpo tomava lindas e expressivas formas, desaparecendo e reaparecendo, expressando sentimentos de luz e beleza tão elevados que energias coloridas e luminosas nos atingiam e emocionavam sensibilizando-nos a alma.

E eu fiquei ali, mudo, enquanto durou aquele espetáculo inesquecível, esquecido de tudo, deixando as lágrimas correrem livremente pelo meu rosto, numa felicidade intraduzível.

Quando terminou e ela curvando-se acenou adeus, da plateia silenciosa e extasiada saiu uma energia de um rosa brilhante misturada ao lilás suave, que a abraçou com carinho. E eu, que estava na primeira fila, pude ver que nos olhos dela, brilhantes de emoção, duas lágrimas rolaram qual pérolas de gratidão e de amor.

E eu compreendi que a serenidade dos iluminados como ela não exclui o sentimento e que expressá-lo pode ser o elo de união entre as criaturas.

Diante de tanta grandeza, beleza, amor, como não agradecer? Como experimentar tantas e elevadas emoções sem reverenciar a vida, a felicidade de viver?

Eu continuo pensando que a arte é a manifestação mais pura e real da espiritualidade.

Não pensam como eu?

O clandestino

Acho interessante a maneira como algumas pessoas reagem ao tomarem contato com os fenômenos da vida.

A reencarnação, a sobrevivência do espírito após a morte e as inevitáveis perguntas sobre o que acontece no "depois" intrigam e fascinam. Quando na Terra, quem não tem essa curiosidade? Sem falar dos descrentes, porque há muito já deixei de perder tempo com eles, na certeza de que tudo acontece no momento certo. Prefiro observar os que acreditam ou pelo menos estão na iminência de perceber essa realidade.

É tão belo o despertar da consciência no desenvolvimento de uma percepção mais clara, que eu adoro trabalhar nesse setor. Para mim, é como um parto bem-sucedido. Eu me lembro que, quando estava no mundo e podia presenciar esse milagre, ficava maravilhado todas as vezes. E quando me graduei e precisei optar pela especialização, fiquei meio balançado entre a obstetrícia e a pediatria, e como precisava decidir, optei por esta última com pena. Porém, me pareceu que a criança, tão delicada e indefesa, necessitava de um apoio maior.

Mas o milagre da vida é tão fantástico que mesmo agora, na realidade onde me encontro, ou talvez até por isso, continua me comovendo e adoçando meu coração. É como se eu nesses momentos liberasse a parte melhor e mais bela de meus sentimentos.

Ver uma pessoa desenvolver a consciência, despertar para a realidade cósmica, começar a perceber novos horizontes, outras realidades mais belas e mais gratificantes, melhorar o senso do belo, perceber a sutileza dos sentimentos nobres e delicados, a genialidade da criação, é como renascer para a vida.

É o milagre de uma nova experiência em nível mais alto e muito mais feliz.

É atirar para longe como veste inútil a lista de sofrimentos que a ignorância atrai e promove, para em troca descobrir a alegria, a bondade, o amor, a espiritualidade, a eternidade.

Acham que estou sendo lírico? Claro que sim. Como não estar, no momento mesmo em que, entusiasmado e satisfeito, observo tantas pessoas maduras para essas conquistas?

Hoje tornou-se mais fácil para nós, os "fantasmas", a comunicação com a Terra. Afinal eu sempre acreditei que se tivéssemos o apoio dos meios de comunicação tudo se tornaria mais fácil.

Na era da eletrônica, da televisão, da informática, de todos os recursos modernos de locomoção, dos satélites e tudo o mais, por que não utilizarmos esses meios?

De início não foi nada fácil.

Apesar da insistência de grandes autoridades de nosso plano, os homens que dispunham desses recursos, esquecidos do que haviam combinado quando estavam aqui, não queriam nem ouvir falar em nós, como se isso os desacreditasse diante da opinião pública.

Contudo, não desanimamos. Usamos todos os recursos da persuasão. E, afinal, conseguimos algumas vitórias. Eu digo conseguimos porque tenho participado tentando envolver e interessar vários conhecidos meus — desse meio e que ainda estão na carne — a colaborar.

É verdade que as tentativas ainda são tímidas, mas elas aumentarão, porquanto muito mais do que nosso limitado poder de persuasão é a própria vontade popular, mola-mestra dos interesses deles.

Os ibopes, as pesquisas tão em moda no mundo têm uma força imensa nos projetos deles. E isso agora já vai ficando claro, porquanto o momento mágico chegou. Há muita gente madura para compreender esses fenômenos e eu diria mesmo que a sensibilidade das pessoas está à flor da pele e não vai dar mais para conter o processo.

É grande o número de sensitivos no mundo, e isso é condição natural do estágio em que a civilização terrena está.

E vocês perguntarão:

— E a dor? E as misérias do mundo atual? Não indicam um retrocesso?

Claro que não. O que é a dor senão um alerta da necessidade da mudança? Como a criança que ficou calmamente no ventre materno durante nove meses de gestação e que na hora de nascer quer se soltar, abrir os caminhos para viver, assim a alma que não deseja mais permanecer como está, sente a necessidade da mudança, quer ver a luz. Procura novos caminhos e essa atitude provoca atritos e dor naqueles que desejam perpetuar as coisas e estacionam na ignorância.

Chegará o momento em que na Terra não haverá mais lugar para eles. No entanto, a dor é muito eficiente como meio de sensibilização.

Esse recurso do qual a vida se serve para vencer a resistência e a teimosia de alguns é utilizado em último caso, quando foram esgotadas todas as formas de provas viáveis e quando as pessoas já estão preparadas e poderiam fazer melhor e não fazem, puramente por medo ou até por seguirem mais a "lógica" da cabeça e menos os sentimentos do coração.

Sabendo disso, vocês não acham que a dor e todas as coisas terríveis que assolam a humanidade atual sejam prenúncio de mudança? Um recurso para acordar os retardatários que teimam em ignorar certas coisas e preferem aceitar e manter valores ultrapassados, que não servem mais para eles?

Pois é. Pensem nisso antes de julgar o que vai pelo mundo. Mas, por outro lado, aqueles que estão acordando devagar imaginam coisas e as tomam como verdadeiras.

Sobre nossa vida no astral, sobre nossos costumes e até sobre a reencarnação. Devo convir que a criatividade humana é inacreditável. Tenho ouvido coisas fantásticas que assustariam um fantasma que fosse mais inexperiente do que eu.

Conforta saber que muitos procuram informações a respeito, com bom senso e disposição.

Onde a confusão é maior, envolvendo até pessoas bem intencionadas e grupos de estudos interessados, é sobre julgamento. Tinha que ser. Afinal cada um, sempre que escolhe, aciona seus conjuntos de valores e nesse caso a vivência e a noção de realidade de cada um é o que conta.

Nessa de julgamento todos já embarcamos. Uns mais, outros menos, mas como temos muito medo do desconhecido queremos logo classificar, aferir, julgar.

Nesse esforço vamos muito além do discernimento puro e simples, que seria o mais adequado. Entramos no julgamento, colocando rótulos nas coisas e nas pessoas, e eles é que, uma vez automatizados em nosso subconsciente, são responsáveis por nossa resistência ou teimosia.

Nesse conceito, tudo quanto fazemos passa pelo julgamento. Disso resultou o carma, palavra tão discutida e sobre a qual se cometem tantos enganos.

As pessoas confundem esse processo com aplicação de justiça, muito natural para os que são julgamentosos e muito fatalista para os que não o são.

Afinal a verdade é outra. Vocês acreditariam se eu lhes dissesse que seu destino está em suas mãos? Que você tem o poder para criá-lo e mudá-lo quando quiser?

A evolução é mestra e transforma tudo. Quando você se torna mais consciente, percebe isso e descobre que todo poder em relação a sua vida está em suas mãos.

Não acreditam? Parece mais fácil culpar Deus, a vida, a sociedade, o governo, seja lá quem for, por seus dissabores? Claro. Se você admitir que você é o responsável por sua vida, por seu destino e que tudo quanto lhe acontece foi criado por você, terá que reagir, tomar providências, fazer alguma coisa, e nesse caso eu pergunto: será que você quer? Será que não prefere continuar culpando os outros para não ter que mudar?

Esses questionamentos são comuns naqueles que estão maduros para abrir os olhos à realidade. Assim sendo, carma é o destino que criamos para nós e vai continuar da mesma forma se não mudarmos nossas atitudes. Tirando a causa, o efeito desaparece.

Tenho visto que algumas pessoas gostam de complicar, dramatizar, colocar-se como vítimas de um destino cruel. Nesse caso, quem poderá impedir que as tragédias ocorram em suas vidas?

Alguns até dirão que elas sofrem porque estão "pagando" suas culpas. Pode haver pensamento mais ilusório do que esse? Além de julgar Deus como vingativo e cruel, que "cobra" a dor com a dor, atrai para a pessoa sofrimentos evitáveis.

Afirmam eles que depois de "purgar" suas faltas eles serão felizes na eternidade.

O que eu tenho visto é que quando, depois de muito sofrimento na Terra, o espírito chega aqui, vem em péssimo estado, com o corpo astral necessitando socorro, em difíceis condições.

Então a dor não purifica? Não eleva? Não. A dor serve para quebrar a resistência, acordar, diluir ilusões, abrir caminho, destruir a couraça de rótulos e fantasias que a pessoa criou. Depois disso, só depois é que, dependendo da reação de cada um, é que se pode ajudar.

A dor é o remédio que ajuda a amadurecer, abrindo a muralha de nossos preconceitos. Cuidado com a crença de que a dor redime, porquanto se você não mudar sua forma de discernir, mantendo essa atitude, ela voltará mais forte e mais ativa.

A vida é mais simples do que se pensa. Eu diria até que ela é tão sábia que chega a surpreender. E acaba com a confusão das pessoas sobre reencarnação, carma, julgamento, etc.

A propósito, quando mencionamos vidas passadas, não temos obrigatoriamente que "encaixar" em nosso passado todas as pessoas da família.

Como?! Então não estamos juntos para ressarcir o passado? Aquela mãe implicante não me matou na outra encarnação? Aquele parente relapso e desequilibrado que me causa prejuízos não é alguém a quem eu prejudiquei em outra vida e preciso tolerar?

Em alguns casos, até pode ser, porém há muitas possibilidades de não ser. Ele pode ter sido atraído por você, por uma atitude sua, e ter ingressado em sua vida agora.

Acha que não? Que não há clandestinos em sua família? Que necessariamente todos os seus são ligados a você por laços de vidas passadas?

Tanto pode ser como não. No entanto, o que eu gostaria mesmo que você soubesse é que todos, isso mesmo, todos os que convivem com você, familiares, amigos ou não, pessoas, situações nas quais você está envolvido, foram atraídos por sua energia, por suas crenças e atitudes.

Como?! E os do passado? Não nos comprometemos uns com os outros? Claro, mas não só a atração como a manutenção do relacionamento ou das situações só permanecem e vão existir enquanto você mantiver a crença que os provocou.

O dia em que você descobrir como você criou e atraiu certas coisas em sua vida e mudar a atitude, elas se modificarão. Deu para entender? Percebeu como você é poderoso? Como você é forte?

E como eu gosto de você e desejo que caminhe depressa, arrisco uma sugestão: não queira assumir os problemas alheios nem com intenção de ajudar. Se puder prestar um favor, faça-o, faça-o e esqueça em seguida, porque nessa de salvador do mundo você poderá sem dúvida atrair vários clandestinos no barco da existência, com os quais estará comprometido e com os quais não desejaria compactuar.

Afinal, ser o responsável por nosso destino já dá o que pensar. Cuidar de si mesmo é um trabalho muito importante. Não concordam comigo?

 *Inversão*

Nas possantes asas do pensamento eu caminhava velozmente. Quem não o faria? Pensar é fácil, imaginar é tão bom, principalmente quando sonhamos alcançar o que valorizamos.

É aí que as coisas ficam confusas de vez em quando. Por que nos iludimos com facilidade, fantasiamos acontecimentos e situações que nem sempre concorrem para nossa felicidade?

Afinal, no fim de tudo, o que conta mesmo é a felicidade. Seja qual for nossa posição, não é o que todos procuramos? E se não a encontramos como pretendemos, é porque partimos de uma visão distorcida da realidade.

Aliás, digo isso não para criticar mas apenas para notar que a lucidez, a percepção da realidade são fatores importantes para alcançarmos nossos propósitos.

Ser feliz é o que importa e se às vezes negamos que esse seja nosso maior objetivo, para não parecermos egoístas mostrando interesse pelo sucesso, saúde, bem-estar, esse fato torna-se claro como determinante de todas as nossas atitudes na vida.

Pena que ainda sintamos medo de assumir essa verdade e nos perdemos em rodeios desnecessários gastando tempo e suor, dando voltas para no fim chegar ao mesmo lugar, por um caminho mais longo e complicado.

Mas isso é conquista e experiência de cada um e não é de se lamentar, porque tudo na vida corre sempre certo e pelo melhor. Não concordam comigo? Acham que estou sendo otimista em excesso?

Afirmo que não. Ser otimista na Terra é sempre insuficiente diante do quadro negativo e ilusório criado pelos homens e pela sociedade. Aí vocês vão dizer que eu digo isso porque estou bem, afortunadamente dispondo de recursos de inteligência e cultura, ajuda espiritual, etc., etc., o que não ocorre com a maioria dos terrestres.

E não faltará por certo aquele que colocará uma lista imensa de dados, mencionando hospitais, crianças, tragédias, limites, crueldades, ódios, guerras, ambições e toda sorte de problemas que assolam o mundo.

Esquecem-se de que fui médico na Terra? Que perambulei por hospitais e tive contato com a dor, não só quando vivia na carne mas também agora tentando prestar serviços àqueles que precisam? E olhe que eu faço isso porque ser útil, cooperar com o progresso, com o bem-estar de todos é muito bom e agradável. Traz alegria ao coração perceber que as crianças crescem, que os espíritos progridem e aprendem a cada dia, tornando-se mais capazes e felizes.

É uma utopia? Não penso assim. Sabem por quê? Porque sei que o progresso é lei da vida e nada é mais verdadeiro e efetivo do que ele.

Por isso, não acredito em dramas, nem em tragédias, embora lamente que pessoas ainda as alimentem e reproduzam.

Sentir o prazer de ajudar, cooperar, progredir, é altamente motivador. Pena que quando estamos no mundo nos deixemos fascinar pelo que parece e não pelo que é. Entramos na mente social, metemos os pés pelas mãos, para acabarmos desiludidos e tristes, acabrunhados e desmotivados, descrentes e indiferentes aos sofrimentos e necessidades dos outros.

Aí vocês vão dizer:

— Mas não foi você mesmo quem disse que as tragédias são ilusórias?

O que eu disse é que as pessoas podem escolher outro caminho e aprender de outra forma, não precisando necessariamente de tanta dor e tanto esforço para tornarem-se mais conscientes. Só isso.

Olhe que eu falo porque nestes anos todos aqui, onde tenho procurado cooperar e prestar serviços à comunidade (sinto prazer nisso), entrei em contato direto com pessoas que na Terra têm o mesmo desejo e se dispõem a ajudar os outros. Seja prestando serviços voluntários em obras filantrópicas, seja cooperando profissionalmente para o mesmo fim.

Engraçado é que na Terra as pessoas costumam separar a ajuda. Acreditam que a verdadeira ajuda, a mais nobre, seja o trabalho voluntário não remunerado. Isso é conceito muito materialista e terreno. É limitar a cooperação e a fraternidade ao desejo de uns poucos e muitos deles inexperientes nas atividades de auxílio.

A fraternidade, a cooperação, a ajuda efetiva vai muito além disso. Envolve todas as coisas.

Os espíritos superiores não condicionam sua cooperação aos pobres e acanhados critérios da sociedade terrena. Vão muito além. Eles valorizam tudo que pode contribuir para o progresso do espírito e esse conceito inclui tudo que acontece no mundo.

Não separa pessoas pelo rótulo religioso nem pelo dinheiro que elas possam movimentar. Aliás, ao contrário do que a maioria pensa aí, o dinheiro, o poder político, o conhecimento, o potencial de um líder, a capacidade de fazer e criar coisas, desde que favoreçam o desenvolvimento do ser humano, são altamente cotados com nossos superiores.

Estão surpresos? Um milionário, um empresário, um banqueiro, poderão "entrar no reino de Deus"? Se eles corresponderem a esse objetivo, claro que sim. Não conseguirá esse aval o rico que ainda não aprendeu a fazer o dinheiro circular e apenas o enterrou na inutilidade. Mas até esse conceito, aqui, perde o caráter que a ele se dá na sociedade terrena, porque o usurário, mesmo iludido, consegue apenas atrair experiências que o ensinem a enxergar a função nobre do dinheiro.

Aí vocês dirão:

— E as pessoas que ele prejudicou, que ele explorou?

O empresário que fez o mesmo com seus empregados não estaria no mesmo caso? Tanto um como o outro, segundo as leis universais, prejudicaram apenas a si mesmos, gerando experiências desagradáveis para o futuro. Quanto às pessoas que se deixaram lesar por eles, atraíram essa experiência para si, porque permitiram, aceitaram esse domínio.

E atrás desse processo sempre há a falta de vontade, o desejo de viver pendurado nos outros, no pai, no patrão, no governo, na família, etc. E, nesse caso, o melhor para eles é experimentar essa situação até que percebam que possuem poder e força para escolher e fazer o que quiserem de suas vidas.

A vida na Terra nada mais é do que um treino onde nos matriculamos por certo tempo, para desenvolvermos nosso potencial de espírito eterno.

Por isso há tantas e diversificadas experiências no mundo. E nesse laboratório o importante é desenvolver a consciência. E para isso há que estar atento, sentir, buscar.

A sociedade criou regras para disciplinar a comunidade. Porém os homens estabeleceram valores muito distanciados da realidade. Eu diria, mesmo, completamente invertidos daquilo que são. Quem se dispõe a ajudar o outro deseja fazer por ele, e esse engano tem levado muita gente bem intencionada ao fracasso.

Prestar serviços voluntários em uma igreja, em um hospital, em um centro espírita, é nobre e valioso. Porém, por mais que a pessoa se dedique desinteressadamente "sem recompensa", ela fica feliz em perceber que sua intervenção foi bem-sucedida. Isso é natural e alimenta a motivação. Mas nada mais triste do que manter um orfanato por trinta anos para depois chegar à conclusão de que não preparou bem as crianças para enfrentar a vida em sociedade e quando elas saíram, despreparadas, tornaram-se presa fácil para a dor e o desequilíbrio.

Por isso, como a mãe ou o pai que prejudicam os filhos com superproteção, enfraquecendo-os e tornando-os frágeis para viver em uma sociedade competitiva, a ajuda também vai muito além do donativo, seja de que espécie for.

E embora ele seja útil, em alguns casos revela apenas falta de confiança no potencial de quem recebe, diminuindo suas chances de desenvolvimento, simplesmente confirmando e atestando uma incapacidade na qual a pessoa acredita e que foi a causa de ela estar carente.

Perceberam como vemos aqui? Por isso, na Terra todos os empreendimentos, os grupos, sejam de que espécie forem, são medidos e auxiliados (não com os critérios terrenos) a que cresçam e se fortaleçam.

A princípio esse assunto me espantou. Como?! Era importante socorrer uma indústria tanto quanto os lamentos dos que estavam em um hospital? Não concordei. Quando cheguei aqui pensava que salvar os que sofrem fosse o mais importante.

Foi meu amigo Jaime quem me esclareceu:

— Temos muitos cooperadores nos hospitais da Terra. Ninguém está esquecido, porém o trabalho lá não é muito grande. Está bem distribuído. Enquanto em outras áreas há maior necessidade.

— Como assim? — disse, escandalizado. — O que pode ser mais importante do que suavizar a dor?

Ele sorriu de minha euforia e respondeu:

— Você está confundindo as coisas. Seu critério ainda é terreno. Quando a dor está trabalhando nas pessoas, não podemos fazer muito. Ela só aparece após haver esgotado todos os outros recursos.

E por isso é preciso deixá-la seguir seu curso. É parte do processo que a pessoa precisa. Por isso, embora lamentemos, não podemos impedi-la de agir. É o remédio para o caso. Não há muito a fazer a não ser esperar. Já nos grupos sociais da Terra, o trabalho é outro. Há desenvolvimento, experiências, treinamento, relacionamento, aprendizagem.

— Em uma empresa? Em uma loja?

— Claro. Lá existe competição, hierarquia, motivação ao crescimento. Em todos os lugares, o que realmente importa é o potencial humano. Ele pode desenvolver ou acabar com um empreendimento.

— Isso é verdade. Mas é um jogo de interesses materialistas.

— E o que é o dinheiro senão um estímulo ao desenvolvimento? O que é uma organização senão um desafio a que as pessoas testem seus conhecimentos e sua força?

— Tudo isso então...

— É apenas um veículo para o desenvolvimento do espírito.

— Olhando dessa forma...

— É só o que há. Apenas isso.

— Nesse caso, há muitos cooperadores de nosso plano prestando serviços nesses lugares?

— Por certo. As pessoas apaixonam-se por setores da sociedade e criam novas formas de progresso. Quando vêm para cá, continuam com essa preferência e prestam serviços nesses setores.

— Pena que alguns desses líderes na Terra não saibam disso.

— Os verdadeiros líderes, até sabem. Há muitos deles cujas fortunas são no mundo veículos de desenvolvimento nas artes, nas belezas espirituais que melhoram o ambiente e alimentam a alma.

— Os que fazem os museus e investem grandes somas em centros de pesquisas...

— Que sem meios nunca existiriam.

Depois desse dia tenho observado. Não é que ele tinha razão? Por isso, agora, tenho visto as coisas de forma diferente. Percebi que a cooperação, a dignidade, a integridade vão muito além das aparências. E que nem tudo que parece é.

Ajudar parece fácil e nós podemos até achar que estamos fazendo isso, mas será que é?

Será que estamos contribuindo para o desenvolvimento das pessoas ou estamos apenas confirmando a ilusão da carência, da incapacidade e da burrice?

Cada um agora pare para pensar. Quanto a mim, tendo aprendido o que aprendi, concluí que prevenir é melhor do que remediar.

Isto é, confiar que cada um pode fazer por si, que é bom o bastante, que tem capacidade, e dar apoio a que eles façam é melhor do que assumir o posto de salvador do mundo, herói supercaridoso e querer fazer por ele. Garanto que agindo assim evitaremos muitos dissabores.

Vamos experimentar?

Costurando impressões

Apalermados, indiferentes, idiotas, todos nos sentimos algumas vezes, no momento mesmo em que a vida, matreira e sempre versátil, nos surpreende, derrubando nossas expectativas ou previsões, em sua estratégia fascinante e muito bem achada.

Arrancados inesperadamente do mundo interior que criamos e alimentamos durante largo tempo, parece-nos a princípio que o chão nos falta sob os pés e que difícil se torna seguir adiante.

Afundamos no caos, mergulhamos na queixa e na revolta, impressionados com nossa dificuldade em avaliar com clareza a nova proposta a que somos compelidos a experienciar.

Ah! Essa nossa dificuldade! Que bom se pudéssemos ser menos teimosos e tivéssemos mais disposição e interesse pelo menos de esperar a poeira assentar para depois avaliar os fatos.

Eu disse que a estratégia da vida é sempre muito bem achada, o que é verdade. Observada tempos depois, com isenção de ânimo, mais equilibrados e conscientes, podemos perceber isso. Eu diria mesmo que ela é mágica, obedecendo à divina sabedoria, e tem um plano a nosso respeito, tão bem urdido e perfeito que me encanta.

Não que eu já tenha perfeito conhecimento de como é esse processo, mas por minha experiência dá para perceber que esse plano existe e é tão completo que prevê tudo e todas as delicadas minúcias de nossas possibilidades.

Não é incrível? Um plano tão completo que nada, nem nenhuma circunstância, por mais inesperada que seja, possa frustrar. Às vezes fico pensando e me pergunto: como pode ser isso? Milhões de pessoas tão diferentes umas das outras, em situações culturais, emocionais, experienciais, tão especiais, já que não existem duas pessoas iguais, e ela sempre funciona maravilhosamente bem, sem nunca errar, movendo os acontecimentos e as pessoas de tal forma que tudo se encaixa em tudo e se completa, para o melhor no campo da evolução.

E aí você vai perguntar como eu sei disso. Será que a vida é mesmo assim perfeita? Eu afirmo que sim. Não contando minhas experiências pessoais na constatação pura e simples de como ela me conduziu, de como ela me estimulou, como ela me ajudou a crescer e a perceber as coisas, coloco aqui minha experiência com as pessoas em meu trabalho de socorro e de cooperação.

Não há nada que me estimule mais, que me empolgue mais do que acompanhar um caso. É que quando não estamos envolvidos emocionalmente, quando não é nosso problema que está em foco, nos sentimos mais serenos para perceber as coisas.

Dessa forma, ao tomarmos conhecimento dos problemas de cada um dos envolvidos, tentando estabelecer um projeto de auxílio, nos esforçamos para prever reações e acontecimentos, pretendendo facilitar a que as coisas caminhem desta ou daquela forma.

Nesse trabalho, todos somos supervisionados por pessoas mais sábias do que nós próprios, as quais consultamos e das quais buscamos opiniões.

Nosso projetos de auxílio são sempre muito bem preparados, estudados e bem montados. E como não podia deixar de ser, em razão de nossas limitações, há algumas regras que nunca podemos ignorar.

São padrões éticos de respeito à liberdade de cada um, porquanto aqui a maneira de auxiliar é estabelecida segundo o que já conhecemos sobre as leis universais que, em alguns aspectos, diferem muito das que andam sendo estabelecidas no mundo.

E sabem o que acontece? Nós estudamos tudo, planejamos tudo, chegamos até, em alguns casos, a prever o que acontecerá, conhecendo a reação habitual daquelas pessoas, até onde elas conseguem chegar, etc., tudo muito bem e, de repente, zás! Somos surpreendidos por fatos muito diferentes do que prevíramos, algumas vezes trágicos, outras mais amenos, mas todos provocando radicais mudanças na situação, nas pessoas, que nenhum de nós havíamos conseguido prever.

Estão admirados? Quando falei que ficamos apalermados, perdemos o rumo, não me referi apenas aos que vivem encarnados no mundo. Nós também, fantasmas interessados em aprender e ajudar, nos sentimos assim e de pronto sequer conseguimos sair do estupor e nossa criatividade parece haver desaparecido.

Nessas horas, se os homens da Terra, frustrados, inseguros, recorrem a seus santos ou guias espirituais, nós aqui procuramos nossos instrutores julgando que todos os nossos conceitos estavam errados e insuficientes.

Por que será que a primeira coisa em que pensamos é que estamos errados? Parece até perseguição. Acreditamos logo que o problema seja nosso, de avaliação ou de conhecimento. A ilusão de nos julgarmos menos, de sermos fracos e imperfeitos, continua forte dentro de nós. E quase sempre necessitamos da ajuda da dor e da carência para percebermos nossa força e todo o bem que já possuímos.

Depois de ouvir nossos instrutores, que nos convidam a serenar os ânimos e a observar melhor, acabamos por descobrir que tudo só poderia ter sido daquela forma, que diante dos resultados sempre positivos obtidos, os fatos, ainda que dolorosos, trágicos ou não, foram concludentes e necessários.

Não é só isso. Algum tempo depois, quando o caso evoluiu para melhor, ao estudarmos como as coisas aconteceram, podemos perceber claramente a magia da vida, sua sabedoria, sua força positiva.

A constatação desse fato deveria ser suficiente para nos fazer confiar mais e acreditarmos na bondade divina. E esse raciocínio não serve só para nós aqui no astral, mas para vocês também, porque, guardadas as devidas proporções, todos fazemos parte da família universal e, ao que parece, nos assemelhamos muito.

Nossos problemas, nossas dúvidas, nosso comportamento são semelhantes. Em razão do exposto, não seria adequado confiar mais? A vida é criativa e sábia. Tem por objetivo nos tornar conscientes de que fomos criados para a alegria, a beleza, a felicidade, e trabalha constantemente para nos ensinar como perceber tudo isso e usufruirmos do bem que a bondade de Deus nos destinou.

Nesse caso, o que nos impede de conquistarmos tudo isso? Qual a dificuldade que obstrui nosso caminho a tal ponto que a vida, sempre tão sábia e bondosa, precisa nos sacudir com a dor e a carência para que venhamos a largar nossas ilusões e a enxergar a realidade?

De onde virá nossa predisposição para o negativo, para o mal, pensando primeiro no pior antes de perceber e esperar o melhor?

Será das religiões, que sempre pregaram o temor a Deus, o homem cheio de pecados e imperfeito? Será porque ainda hoje se cultiva o mal como força infernal, sem perceber que acreditar na imperfeição do homem é diminuir a grandeza da perfeição de Deus?

Pensando como a vida é surpreendente e age de forma inesperada, vocês não acham que a confiança poderia nos ajudar muito num momento desses? Pelo menos nos daria serenidade e paciência, impedindo-nos de afundar na negação e na revolta, que além de inúteis ainda nos fazem perder muito tempo.

Na hora em que você for surpreendido por um fato novo, desagradável ou não, assustador, inesperado, confie. Pense que a vida trabalha pelo melhor. Que faz tudo certo. Convença-se disso. Não pense em conseguir soluções imediatas ou em fugir daquilo o mais rápido possível. É dessa forma que, agarrados a nossas velhas ideias, bloqueamos todos os benefícios que a vida está nos oferecendo e acabamos por necessitar que ela ainda nos ajude mais, utilizando outros estímulos mais fortes, sempre chocantes para nós.

A confiança, a tentativa de compreender, a aceitação de um fato do qual não podemos evitar ou fugir facilitam nossa percepção de coisas que até então não conseguíamos notar. E se além da confiança ainda juntarmos atentamente a vontade de perceber o que a vida pretendeu nos ensinar com aquele fato, por certo descobriremos coisas importantes e reveladoras a nosso respeito.

Enfrentar o inevitável, olhar para o real com coragem e confiança abre nossa percepção e nos torna mais conscientes. E não é esse o objetivo da vida? Eu, que sou interessado em cooperar e aprender, estou procurando agir assim.

Não acham que estou fazendo bem? É que, como eu já disse antes, estou resolvido a banir o sofrimento de minha vida. Vocês pensam que estou sendo otimista? Que nunca conseguirei? Sei que a felicidade existe e posso desde já obtê-la. Vocês me julgariam pedante se eu lhes dissesse que me sinto gloriosamente feliz?

É verdade. E você também pode. Porque essa é a determinação de Deus. E se ele decidiu isso, quem é você para duvidar?

# O aliado

Acabei de voltar de uma viagem maravilhosa! Fui convidado a conhecer um lugar onde as pessoas vivem felizes e alegres. Por uma dessas dádivas da bondade divina, excursionei para esse lugar encantado, onde a beleza é natural e constante e o bem resplandece em tudo e em todos.

Alegria, generosidade, fraternidade, bondade, compaixão, honestidade, amor, confiança, existe em todos os seus habitantes como conquista inalienável e absoluta.

Senti-me como se estivesse no paraíso. Não um paraíso à maneira que o homem da Terra imagina, onde a ociosidade e a megalomania estabeleçam as regras, mas um lugar delicioso, cheio de vida, prosperidade, ação, trabalho, alegria e amor. Uma colmeia de luz, espargindo bem-estar e harmonia para o universo inteiro.

Acham que estou exagerando? Nada disso. Eu adoraria que vocês pudessem pelo menos passar uma vista de olhos, ainda que rápida, de como se vive lá. Durante uma semana, eu nutri minha alma, e ao retornar à minha cidade vim cheio de bondade, planos de trabalho e renovação interior.

Contudo, se ir para lá foi extremamente bom, a volta à dimensão onde me encontro foi conflitante. Reencontrar antigos padrões, olhar novamente meus limites e reconhecer o quanto preciso mudar para conquistar aqueles valores foi um trabalho árduo, porém, seguro de que esse trabalho é meu, de que só eu posso fazê-lo, decidi com alegria e disposição continuar me esforçando.

Claro que eu percebi que me oferecendo essa viagem, meus instrutores queriam que eu soubesse aonde posso chegar.

Era como se me dissessem: "Veja. Eles conseguiram evoluir sem sofrimento. Eles já aprenderam. Você também pode. Continue em seus propósitos".

E eu, que percebi isso, estou contente porque sei que um dia serei como eles. Que bom! Que beleza! Como eu gostaria que nosso querido mundo pudesse viver assim! Dizer adeus a toda dor, toda crueldade, todo mal, toda tragédia.

E se voltar à minha cidade astral fez-me perceber o quanto nós aqui precisamos trabalhar para alcançar toda a felicidade que almejamos, o contraste com o que vai pelo mundo foi extremamente chocante.

Claro que, habituado aos problemas na Terra, eu não deveria ter me chocado tanto. Mas confesso que o contraste foi tão brutal que me entristeceu. Saber que o paraíso existe, que a felicidade é verdadeira, que está ao alcance de todos nós e ver que no mundo a maioria ignora isso, opta pela dor, espera por ela como inevitável, se defende agredindo, desrespeita tudo e todos de forma dura e constante, fere fundo nossos ideais do bem e do amor divinos.

Pensando nisso, circulei pelo mundo tentando estudar o comportamento humano, e notei como os maus manipulam os ingênuos, a malícia é assessorada por entidades perversas e cruéis. Pude ver que hordas de espíritos desencarnados envolvem pessoas, subordinando-as às suas tendências infelizes e más.

Estudando essas influências na Terra, frequentando lugares onde a violência e a maldade imperam, fiquei seriamente preocupado. Não é que o diabo existia mesmo? Quem senão ele chefiaria tantas falanges, provocando guerras, destruição, crimes, desavenças, infelicidade e dor?

Sim, porque eu notei que esses espíritos que os homens chamam de entidades das trevas têm um propósito, têm um chefe, agem dentro de planos e disciplinas maquiavélicos e eficientes em provocar o que eles pretendem.

Assim, eles interferem nos acontecimentos políticos, nas catástrofes, manipulam e agem de acordo com seus interesses de domínio e poder, interessados em manter a ignorância humana, procurando de todas as formas impedir que a humanidade aprenda e perceba os valores do bem e da espiritualidade.

Quem teria tanto poder senão o diabo? Não é que ele existe mesmo? Fiquei pensando, pensando. Quem seria esse ser poderoso que ousava combater Deus? Quem teria essa ousadia e tanta força a ponto de conseguir tantas vantagens no mundo? Sim, porque, se você observar, a maldade fere fundo a ponto de questionarmos por que o bem não aparece.

Mas acreditar no diabo não seria questionar o poder de Deus? Não seria colocá-lo tão poderoso quanto ele?

Esse assunto deu voltas à minha cabeça e acabei indo procurar meu amigo Jaime, com quem tenho condições de conversar e cuja sabedoria sempre me encanta.

Coloquei meus argumentos com seriedade. Afinal o assunto era mesmo sério. E finalizei:

— Tenho observado que há muitos espíritos encarnados e outros mais aqui no astral com a missão de esclarecer os homens e torná-los conscientes dos verdadeiros valores da alma. Sabendo que cada pessoa pode conquistar a felicidade, que pode deixar de lado o sofrimento, aprender a viver com o bem, que cada um tem dentro de si todo o poder para seguir esse caminho, por que há tantas dificuldades? Por que Deus permite que esses espíritos circulem pelo mundo, encarnados ou não, e trabalhem contra nossos propósitos, dificultando nossa missão, até nos perseguindo no mundo e levando a melhor muitas vezes? Por que eles têm tanta força? Nosso trabalho de esclarecimento não seria melhor se eles fossem afastados? Sem essa poderosa influência, nosso trabalho não seria mais eficiente?

Jaime sorriu e havia um brilho de malícia em seus olhos quando disse:

— Hoje você descobriu que o diabo existe.

— Não brinque comigo. Tenho pensado seriamente nisso. Gostaria que na Terra as pessoas descobrissem a verdade. Vivessem melhor. Elas podem!

— Tem razão. Elas podem. E você pode ver que, mesmo lá, há muitas pessoas que já descobriram isso. Essas são mais felizes e o diabo não exerce nenhum poder sobre elas.

— Então ele existe e realmente tem poder?

— Claro.

Balancei a cabeça negativamente.

— Não entendo — disse. — Ainda acho que sem ele as coisas poderiam ser melhores. Por que Deus não o impede?

Os olhos de Jaime tinham um brilho indefinível quando ele respondeu:

— Por que afastaria seu maior aliado?

— Aliado?!!

— Sim. Não percebeu que ele trabalha para Deus? Como abre os olhos dos ingênuos, quebra as muralhas da resistência humana de seguir adiante, desenvolve a sensibilidade dos indiferentes, torna a alma capaz de descobrir a própria força e realça a força do bem? Sem ele, como nós saberíamos o que é o amor? Sem as trevas, como perceber a luz?

Abri a boca e fechei-a de novo sem encontrar palavras para responder. Ele finalizou:

— E, depois, que espírito de luz e de bondade teria força para realizar esse trabalho? Seria ir contra sua natureza.

Não é que ele tinha razão? O diabo era mesmo um grande aliado. E confesso que meu respeito por ele cresceu muito. Sabem o que eu penso? Que combatê-lo não é uma boa. Não que se deva favorecê-lo. Afinal, fazer o mal, perturbar os outros, impedir o bem, não é tarefa nossa. Ao contrário. Para nós, é gratificante fazer o bem, disseminar a luz, confortar e esclarecer pessoas, vê-las perceber os verdadeiros valores da vida, despertar para a felicidade.

Mas sabem o que eu percebi? Que quando ele aplainou as arestas, passou antes, fica muito mais fácil você plantar o bem.

Não é que é mesmo verdade? O diabo nosso aliado! Quem diria! Vocês não acham que Deus é fenomenal? Pode haver alegria maior? Afinal, tudo está certo como está.

Agora, cá para nós, se conseguirmos driblá-lo, agir sem que ele precise passar em nossas vidas, não seria genial? E para conseguir isso, é melhor nos distanciarmos da maldade, da malícia, do egoísmo. Assim, ele nunca terá nenhum acesso em nossas vidas.

Não pensam como eu?

Resgatando débitos

Quando eu estava vivendo na Terra, muitas vezes, diante de certas tragédias ou sofrimentos, ouvi a frase dita com ar de sabedoria por algumas pessoas: "Ele está sofrendo, resgatando débitos de vidas passadas". Naquele tempo, embora eu não concordasse com isso, reconhecia que de alguma forma havia uma força maior comandando o processo, cuja "justiça" me parecia tão injusta como a dos homens.

A justiça divina, pensava eu, não deveria ser parcial. Só poderia ser completa e amorosa. E, aqui para nós, não me parecia bom ver as pessoas sofrerem sem que pudéssemos aliviar-lhes as penas. Não que eu fosse herege. Isso não. Sempre acreditei em Deus, mas entender como ele distribuía suas graças e castigos era para mim um mistério.

Já a reencarnação era algo a que eu não era de todo indiferente. Contudo, aceitar mesmo, crer, nisso eu relutava. Parecia lógico porém ao mesmo tempo muito fantástico. Eu passava por cima dessa possibilidade, como se estivesse assistindo a um filme que tanto poderia ser extraído de uma história real como não.

No faz de conta tão discutível em que eu por vezes mergulhava, tentava imaginar como seria morrer, tornar a nascer, num círculo fantástico de vidas e de ligações e parentescos com os outros que acabava sempre dando voltas à minha cabeça.

Claro que eu não demonstrava isso. Gostava de parecer seguro e equilibrado. Mas esbarrava sempre na dor e no sofrimento, sem aceitar que a bondade divina se utilizasse deles para cobrar os erros de cada um.

Convivendo com religiosos de várias igrejas nos hospitais do mundo, muitas vezes estivemos juntos ao lado dos enfermos mais sofridos. E quando se tratava de crianças, então, eu me sentia impotente para reverter o quadro e, no fundo, no fundo, via brotar dentro de mim certa revolta, um inconformismo que não aceitava a argumentação deles, diante da dor e do sofrimento do paciente e de sua família:

— É preciso conformar-se. Aceitar a vontade de Deus! Ele escreve direito por linhas tortas!

E isso se me afigurava mais uma forma de disfarçar a própria incapacidade, uma tentativa de explicar o inexplicável, como uma pílula anestesiante, uma maneira de empurrar o momento difícil, conseguir aguentar, dando um tempo a que tudo se amainasse.

Vocês pensarão que eu era materialista e descrente. Não era nada disso. Contudo, era difícil para mim assistir à dor alheia e conservar a alegria de viver. Talvez esse tenha sido um dos motivos que me fez deixar a medicina e optar pelo teatro, numa tentativa inequívoca de levar alegria e entretenimento às pessoas em um mundo triste e cruel, onde todos um dia acabaríamos na cova escura da morte.

Estão surpreendidos? Mas é verdade. E se eu não possuía capacidade de perceber a vida como ela realmente é, não tinha estrutura para conviver com a dor e levar vida normal.

Em que pesem as boas intenções dos religiosos no mundo, raros são aqueles que realmente têm condições de cooperar numa hora dessas. A ajuda no mundo ainda está mal compreendida. A dor e o sofrimento, muito menos.

Ah! Se vocês soubessem! Se pudessem compreender a vida como ela é, tudo seria diferente. Como?! O sofrimento, a dor, não representam a "dura realidade"? Não estão aí os hospitais, os presídios, a miséria, a fome, o crime, os vícios, infelicitando as criaturas humanas?

Infelizmente eles estão aí, sim, e representam o mito da fantasia dos homens. Um mito tão aceito como real, tão administrado como obrigatório, que a grande maioria das pessoas o tem como fatal em suas vidas.

Eu também pensava assim quando vivia aí, e ao chegar aqui, se fiquei aliviado sentindo-me vivo e bem-disposto, meu questionamento quanto aos sofrimentos no mundo aumentou.

Claro que o Espiritismo que aprendi a aceitar quando cheguei aqui me deu a chave para compreender muitas coisas. A mediunidade, a sobrevivência, a reencarnação. As dúvidas que eu cultivava quando vivi na Terra por certo desapareceram e eu pude finalmente constatar e estudar o processo da evolução, da reencarnação e aprendi muito sobre eles.

Frequentando os centros espíritas do mundo (onde mais um fantasma como eu poderia ir?) é claro que procurei cooperar. Se por um lado desejava obter oportunidade para escrever para a Terra, deveria retribuir.

A troca de bens é recurso muito utilizado por aqui, com grande proveito para todos.

Assim, fiz o melhor que pude. Como aprendiz, frequentei trabalhos de socorro, muitas vezes prestando serviço em hospitais da Terra ou assistindo companheiros que regressavam sofridos e desajustados.

E tal qual quando estava no mundo, me incomodava ouvir as frases de alguns companheiros encarnados na tentativa abençoada do consolo:

— Paciência. Coragem. Ele está resgatando suas dívidas. Está se libertando. O sofrimento enobrece.

Confesso que algumas vezes tentei impedi-los. Mas eles estão tão iludidos que nem percebem o quanto estão sendo incoerentes traçando um perfil distorcido da bondade divina que jamais se transformaria em um banco cobrador das duplicatas atrasadas das dívidas de cada um.

Pensando assim, inconformado com a aceitação imposta, que o medo pode transformar até em covardia e profunda depressão, dediquei-me a estudar profundamente esse assunto.

Após ter frequentado cursos, aprendido, experimentado, descobri que tudo poderia ser diferente no mundo. Que o homem já tem amadurecimento para sair desse processo. É preciso rever conceitos, como eu fiz. Aprender sem receio de esmiuçar as coisas divinas. Aquilo que consideram intocável e sagrado pode apenas ser uma distorção da realidade, imposta pela crença intelectualizada da maioria.

Descobri ainda que aceitar a dor e o sofrimento como fatais certamente nos tornará presa fácil do negativismo, nos enfraquecerá ainda mais e, diminuindo nossa resistência, agravará nossos padecimentos.

Cheguei à conclusão de que Deus não julga ninguém e muito menos nos cobra nada. O erro é uma condição da aprendizagem que ele mesmo criou. Assim sendo, é uma decorrência natural do processo. Por isso, não castiga ninguém, ao contrário, estabeleceu leis justas e bondosas que apesar de nossos enganos nos conduzem à conquista da felicidade.

Você não acredita? Sua vida está terrível e nada dá certo? Sua saúde vai mal e você não sabe como melhorar?

Nesse caso será bom parar e tentar perceber em que você acredita. Quais são seus pensamentos habituais. É fora de dúvida que eles não estão sendo adequados ao que você gostaria. Não estão produzindo bons resultados em sua vida.

Não seja resistente. Não procure fora de você as causas do que lhe acontece. Isso é uma ilusão. Você é o único responsável por sua vida. Enquanto continuar mantendo os mesmos pensamentos, as mesmas crenças na dor como sendo a "realidade" do mundo, ela estará presente em sua vida.

Parece simples demais? Mas eu garanto que é verdade. Dei muitas voltas para chegar a essa conclusão, e hoje troquei de lugar. Embora lamente muito o sofrimento humano, não sinto mais prazer em consolar ninguém com palavras que na maioria dos casos não ajudam muito, ou com filosofias conformistas e desmotivantes.

Ao contrário. Agora, escolhi a profilaxia. Prevenir é melhor do que remediar. Vocês não acham?

Procuro esclarecer as pessoas quanto ao funcionamento da vida. Ensiná-las a descobrir o próprio poder. A utilizar a própria força. Chega de covardia, de frases de efeito. De conformismo e de impotência!

Alegre-se! Você pode melhorar sua vida! Você pode curar suas doenças, resolver as pendências familiares, melhorar sua situação financeira, cultivar mais a alegria, mais paz, mais prazer de viver e, principalmente, saber que a realidade mesmo é bem outra.

Que Deus sempre foi amoroso, que somos eternos e o bem é só o que conta. Acham que estou delirando? Que o faz de conta deu voltas à minha cabeça? Pois se enganam. Nunca falei tão sério em toda a minha vida. Nunca fui tão realista e verdadeiro.

Como fazer tudo isso? É fácil: aprendendo a limpar sua mente, a afastar todo o negativismo que acumulou durante a vida inteira, não se deixando envolver pela miragem do sofrimento que existe ao redor, acreditar que você não precisa dele para aprender porque agora está atento, e por certo sua intuição lhe mostrará o que pode fazer para construir uma vida melhor.

Duvida do que afirmo? É um direito seu, mas eu garanto que, se experimentar pelo menos um pouquinho, descobrirá entusiasmado o caminho a seguir.

Está disposto? Vamos começar? Eu até posso tentar ajudar. Não acha que isso poderia facilitar um pouco as coisas?

A verdadeira causa

Tratei de me apressar. Dispunha de pouco tempo para chegar até o hospital onde um velho amigo meu, dos tempos em que eu militava na Terra, se preparava para regressar.

Regressar aqui significa morrer aí, e como nessa viagem nem sempre queremos embarcar, podem acontecer muitos imprevistos. É um costume nosso aqui, sempre que possível, dar-lhe as boas-vindas quando eles estão conscientes ou pelo menos energias restauradoras, quando adormecidos.

No limiar entre as duas dimensões, trazendo ainda os contingentes materiais do mundo físico, com suas condições naturais, nos sentimos como se estivéssemos no final de uma estrada, sem possibilidade de volta, havendo a necessidade de seguirmos em frente, tendo um precipício nos separando da segurança da estrada nova, precisando dar um salto e conseguir galgar o outro lado, e ficamos com receio de cair no vácuo.

Podem perceber a sensação? Isso acontece muito. Tendo que ir, querendo ficar, ou até querendo ir mas com medo de não conseguir.

Isso sem falar dos afetos e apegos a que nos dedicamos durante a vida no mundo. Analisando essa dificuldade nossa, cheguei à conclusão de que deixar os entes queridos, embora seja difícil, não é o fator mais importante.

Antigamente eu acreditava que não havia coisa pior para quem parte do que a separação daqueles a quem amamos. Hoje, penso de forma diferente. Descobri que embora esse fator exista e a saudade nos incomode, nosso espírito aventureiro sempre fala mais alto.

Você pensa que não? Acha que na hora extrema o mais difícil para você será deixar os que ama? Não é isso o que realmente acontece. Porque a curiosidade, o desejo de conhecer, a aventura do novo são mais fascinantes do que parecem.

Reconhecer o corpo astral, com suas características especiais, sua plasticidade, expressividade, magnetismo, energia, cor, tudo é impressionante. Começar a enxergar a vida de outra forma, mais viva, mais colorida, mais cheia de movimento, deslumbra e atrai.

As diferentes possibilidades aqui, a vida, a sociedade, tudo, tudo, além dos acanhados limites dos cinco sentidos que tínhamos na Terra, abre as portas de nossa fantasia e acende o desejo de ver mais, saber mais, descobrir mais. Tendo atravessado o pórtico estreito da morte, tomando consciência de que continuamos vivos, o prazer da aventura, a grandiosidade do novo nos estimulam a seguir adiante e com certa facilidade seguimos para a frente, fascinados com o que vemos.

Duvidam? Acreditam que os que partem gastam horas e horas chorando a dor da separação e continuam presos aos familiares, muitos permanecendo dentro do antigo lar?

É verdade que muitos recém-desencarnados realmente permanecem junto aos familiares ou mesmo frequentando os mesmos lugares, presos ao passado. Confesso que isso me despertou a curiosidade. Quando estamos no mundo, se motivados, costumamos deixar a família e cuidar de nossos interesses.

Claro que o amor por eles continua, mas quem deixará por exemplo de fazer uma viagem a Europa só porque ama seus familiares e não deseja separar-se deles? Quem, tendo encontrado o amor, deixaria de casar-se para ficar junto aos pais?

Se muitos espíritos permanecem presos ao mundo carnal depois de mortos, mesmo alegando o amor aos entes queridos, teria que haver outros motivos.

Sabem o que descobri? Que não é o amor que os detém, que os impede de saltar a distância entre os dois mundos e usufruir as maravilhas da viagem. Claro que não. O amor nunca atrapalhou ninguém, ao contrário. Ele sempre ajuda. Agora, os medos, a insegurança, isso sim. Costumam nos impedir de seguir adiante em qualquer tempo, onde estivermos.

Esses sentimentos dificultam nossos passos e infelicitam nossas vidas. E no fundo, no fundo, o que há por detrás da insegurança? A falta de confiança na vida e em Deus.

Acham que estou exagerando? Que você tem fé o bastante? É mesmo? Nesse caso você poderia deixar o mundo tranquilamente, chegar aqui satisfeito e alegre, sem nenhuma pena e sem precisar da ajuda de ninguém. Estaria tão sereno que talvez até pudesse desembaraçar-se dos laços carnais, conservando a total lucidez. Não seria bom?

— Eu tenho fé, mas sinto medo porque não sei o que vai me acontecer.

Tenho ouvido muito essa frase, mas ela de fato é uma contradição. Quem sabe, quem tem certeza de que tudo está certo no mundo, que a vida cuida de tudo fazendo o melhor, saberia que nada de ruim vai acontecer. E se nada de ruim vai acontecer, logo não há por que temer. É entregar-se no momento preciso, confiante.

No entanto, isso raramente acontece. O mais comum é o viajante perder o rumo, destrambelhar-se e até dar trabalho àqueles que tentam ajudá-lo nesse delicado mister.

Uma mão amiga para segurar na hora de saltar para o outro lado pode facilitar muito o processo. Apressei-me. Meu amigo Vicente era muito afoito e eu temia que ele não cooperasse. Eu sabia que ele era supersticioso, andava cercado de amuletos e regras que seguia exemplarmente.

Em se tratando de religião, embora fosse adepto do catolicismo, prestava reverência a todas as outras. Não deixava nenhuma de fora. Não questionava nenhuma delas. Para ele, questionar era levantar suspeitas, era duvidar, e isso ele não faria nunca. Se estivesse errado e se aquela religião fosse a melhor, ele estaria errado diante de Deus.

Assim sendo, se alguém lhe dissesse para rezar o terço, ele o fazia religiosamente; se lhe pedisse para acender uma vela, de qualquer cor, defumar a casa, tomar um banho de defesa, ele cumpria.

— É preciso respeitar — dizia. — Nunca se sabe como Deus decidiu provar sua fé.

A maioria das pessoas o tinham como um homem de fé, mas eu sabia que esses hábitos expressavam justamente o contrário. A superstição, a falta de convicção, a ideia da punição mostravam sua insegurança. O medo impedindo de perceber com clareza as

Leis da Vida. Por outro lado, era pessoa bondosa e eu lhe queria muito bem. Desejava estar lá para dar-lhe confiança e, se possível, ajudá-lo a pular para o nosso lado.

Cheguei ao hospital e já encontrei a seu lado um amigo dedicado. Aproximei-me.

O quadro era natural dentro do processo. Preso ao leito por uma trombose, percebia-se a infecção tomando conta e o corpo já em avançado estado de decomposição. Ele estava semiconsciente, oscilando entre o sono e a lucidez, misturando já as imagens dos dois planos, indicando breve desligamento.

Ao lado do leito, sentada em uma cadeira, a filha mais nova velava, entre a preocupação e a ansiedade. A esposa exausta pelas noites de vigília jazia adormecida na outra cama.

— Como está ele? — indaguei a Ambrósio, o amigo de nosso plano que lá estava.

— Poderia estar melhor se se entregasse mais.

— Tive medo de não chegar a tempo. Disseram-me que ele já deveria ter vindo.

— É verdade. No entanto, agarra-se teimosamente ao corpo.

— Isso vai fazê-lo sofrer mais do que precisaria. Há quanto tempo está nesse estado?

— Alguns dias. Gostaria de poder ajudá-lo.

Tentei perceber o que se passava com ele. Senti seus pensamentos descontrolados:

— Meu Deus! Acho que estou morrendo! Será que é o fim? Não. Não posso ir… O melhor é ficar aqui, junto com os meus. Sinto medo. Estou tonto, angustiado, eu quero ficar. Não vou mesmo. Se ao menos eu pudesse lembrar daquela oração! O padre, eu não quero que ele venha. O padre só vai quando é hora de morrer! Eu não quero ver o padre. E se me enterrarem vivo? E se eu não morrer e eles me enterrarem? Que horror! Vou abrir os olhos, eles precisam saber que eu ainda estou vivo!

Vicente fez tremendo esforço para abrir os olhos, mas estava difícil. Suspirou fundo e a filha, assustada, correu para acordar a mãe e logo as duas cercaram o leito na tentativa de perceber alguma mudança em seu estado.

— Ele está se atormentando sem parar — disse Ambrósio penalizado.

A enfermeira entrou, chamada pelas duas mulheres assustadas. Tomou o pulso do doente e mediu a pressão arterial, ajeitou o soro, que gotejava lentamente.

— E então? — indagou a esposa aflita. — Como está ele?

— Na mesma, dona Antônia. Não reage.

— Ele suspirou dolorosamente — disse a filha angustiada. — Estará sentindo dor?

— Pode ser. Vou aplicar a injeção mais cedo hoje. Assim ele vai dormir melhor.

— Agora é o momento — disse eu a Ambrósio. — Vamos lá ajudá-la.

Ele compreendeu e juntos seguimos a enfermeira. Rapidamente, examinei os calmantes que havia e na hora em que ela foi apanhar a ampola, optei por um mais forte e ela, sob nossa influência, apanhou justamente a ampola que eu queria, tendo visualizado nela o nome do medicamento que estava prescrito.

Eu sabia que aquela dosagem nos ajudaria a desembaraçá-lo, apagando-lhe a resistência. Depois da injeção, Vicente acalmou-se e seu espírito cedeu, adormecendo. Então eu me aproximei e disse-lhe com carinho que confiasse, ele estava protegido, que a vida cuida de tudo e nós não o deixaríamos só.

Assim, a equipe que esperava para levá-lo chegou e pôde tranquilamente retirá-lo, levando-o para um local adequado, onde ele despertaria em melhores condições.

Saí do hospital refletindo o que nós fazemos com nossa vida. Interferimos em nossos processos naturais, tentando impedi-los de prosseguir, como se isso bastasse para nos oferecer a segurança que desejamos.

Nos agarramos nas coisas, nas pessoas, no corpo, no tempo, na ilusão de nos protegermos do futuro. E, fazendo isso, bloqueamos as bênçãos que poderemos receber, a alegria que podemos usufruir, o progresso que necessitamos alcançar.

O medo é falta de fé. A insegurança também. Confiar na vida é a chave para a conquista de nossa paz. É o abrir as portas para o novo, é acreditar nas possibilidades de realizar uma viagem maravilhosa, cheia de novas descobertas e de momentos gratificantes.

Assim sendo, não seria melhor pensarmos nisso desde já? Não seria mais prático tentar e descobrir a magia da vida ao invés de colecionarmos os medos e lembranças do passado? Eu, que sou esperto e desejo viver melhor, já comecei. Vocês não pensam como eu?

A felicidade

Desde que eu me conheço por gente, tenho me movimentado sempre para algum lugar. Pensando bem, eu sempre estou indo, esperando, procurando, desenvolvendo a paciência e acreditando um dia encontrar finalmente a felicidade.

Agindo assim, claro que ela sempre tem ficado para depois. Nunca a coloco no lugar onde estou vivendo, nunca me dou o direito de perceber que ela para existir precisa ser real, objetiva e isso requer apenas um tempo: o agora.

Não me dei conta de que estava retardando de forma indefinida o momento que eu sempre quis.

Hoje estou disposto a ser diferente. A mudar e a ser não só mais objetivo como mais eficiente.

Se eu sou o autor de meu destino, se eu tenho o poder de criá-lo, se minha vida segue o programa que eu mesmo fiz com minhas crenças e atitudes, ficar esperando, deixar para amanhã, permanecer aguardando algo de fora é inútil e ilusório. Está na cara que minha felicidade nunca chegará.

Não acham que eu estava sendo infantil? Pois é, eu estava mesmo. E você, como está agindo? Ainda está esperando o amanhã, ainda está fazendo coisas na expectativa de ganhar seu prêmio? O que fazer quando descobrir que ele não virá, não dessa forma? Como encarar a própria frustração?

Pensando nisso fiquei com a cabeça quente. Porque por mais que eu tentasse encontrar uma forma de permanecer agindo agora, fugir das ilusões do futuro, deixar de esperar que algo chegue, havia sempre uma vozinha insolente, um lado meu gaiato e forte que duvidava que fosse conseguir. Parecia-me que deixar as velhas opções e escolher novas formas não me oferecia a segurança que eu pretendia.

E se depois de tudo eu ficasse sem nada? E se, não esperando nada do depois, vivendo o presente e esquecendo o passado, eu acabasse por perder tudo, o patrimônio das conquistas passadas e o estímulo para realizar o futuro?

Confesso que me preocupei. Claro que eu quero mesmo é ser feliz. Afinal para que nós nos esforçamos senão para isso? Diante dessa dificuldade uma coisa ficou clara: o quanto eu estava preso aos conceitos formais da sociedade. O quanto a ilustração acadêmica e o brilhantismo intelectual me mantinham dentro de seus contextos formais, que são, de certa forma, ilusórios.

E aí é que a contradição me intrigava. Eu sei que só posso ser feliz no momento presente. Um passado feliz pode me trazer agora uma doce recordação, nada mais. A emoção da vivência, não. A imaginação das alegrias e dos sucessos futuros poderá apenas aumentar minhas expectativas. Às vezes contribuem mais para me dar ansiedade. Depende de como e quantas coisas boas eu espero. Mas o prazer da situação mesmo, a alegria e o gosto das realizações só vêm na hora em que eu estou vivenciando os fatos. Não está certo?

Claro que eu queria saber mais. Por isso, fui procurar meu amigo Jaime, que tem me ouvido com atenção. Sentado ao lado dele, coloquei logo minhas dúvidas e finalizei:

— Sinto dificuldade em conservar minha atenção no momento presente. Fico inseguro. Tenho a impressão de que estou perdendo alguma coisa. Não sei. Parece que estou sendo materialista demais. Por outro lado, por tudo que tenho vivenciado aqui, aprendido nos cursos de adestramento e até pela lógica da observação, sei que o caminho é esse. Reconheço que prender-me ao passado ou ao futuro me priva da vivência imediata e me projeta no terreno das hipóteses ou das conjecturas pessoais. Como trabalhar com essa sensação de insegurança? Como conservar a atenção no presente aproveitando tudo que me favorece, me dá alegria, me realiza?

Jaime sorriu e havia um brilho malicioso de criança travessa em seus olhos quando disse:

— Já percebeu como sua ansiedade o está "controlando"?

— Ansiedade? Eu?! Bem… Confesso que quero fazer tudo rapidamente. Isso às vezes me deixa ansioso. O que fazer para derrotar a ansiedade?

— Ignorá-la.

— Ignorá-la?

— Isso mesmo. Fazendo de conta que ela não está aí.

— Não será tão fácil assim.

— Será muito mais fácil do que supõe.

— É que ela me estimula a andar mais depressa. Tenho notado que com ela fico mais ágil.

— Ágil para quê?

— Para fazer as coisas. A ansiedade é uma grande motivadora.

— Nunca lhe ocorreu que ela é a grande alavanca da ilusão? Ao mesmo tempo que o estimula a seguir em frente, revela o medo da vida, a falta de confiança em Deus, a preocupação de controlar, manipular os fatos para que sejam da forma como nós determinamos?

— Eu nunca pensei que ela fosse um bem.

— Por outro lado, ela pode demonstrar nossa insatisfação com determinados fatos que criamos e a vontade de modificá-los.

— Então ela sempre será um ato revelador…

— Claro. Observá-la pode nos mostrar como reagimos diante dos fatos do dia a dia. Mas ignorá-la nos trará de volta ao real, ao que temos de concreto no momento, ao que de fato podemos usufruir. Sem falar que nos vacinará contra a frustração.

— Gostaria de aprender como fazer isso.

— Não ligue para ela. Observe como ela aparece, mas não lhe dê importância.

— Só isso?

— Só. No começo perceberá como ela insistirá tentando dominá-lo. É natural. É um comportamento que você utilizou durante muito tempo. Mas se não ligar, principalmente se colocar um pensamento diferente e se ocupar com ele, ela desaparecerá. Essa é a chave das grandes mudanças: a desconexão. É simples e funciona mesmo. E não é só a ansiedade que você pode afastar dessa forma. Todas as outras coisas que o incomodam também.

— As lembranças desagradáveis do passado?

— Por certo. A fórmula é a mesma. Sempre que uma emoção indesejada o acometer, não lute contra ela, nem a impeça de manifestar-se. Simplesmente encare-a, identificando-a rapidamente e em seguida enfoque um pensamento diferente, algo bom que lhe traga sensação agradável.

— Apenas isso? Tão simples assim?

— Isso mesmo. Você agora pode começar a experimentar.

— Isso vai me ajudar a permanecer com os pés no chão. Abandonar as ilusões será um grande passo.

— Se você escolher pensamentos adequados que o levem a isso. Lembre-se disso. Gostaria que se lembrasse de que a vida age sempre no melhor e que todos os caminhos estão certos.

— Nesse caso, quando eu escolher mal ela agirá por mim. Isso me dá muita tranquilidade.

Saí de lá pensando, pensando. Sabem o que percebi? Que no fundo, no fundo, seria melhor eu não interferir. Corro menos risco de errar. É verdade que ela vai me ajudar a fazer melhor, mas, pelo que eu conheço, o preço sempre será a colheita dos resultados a que fiz jus. Por isso, por que não deixá-la agir, procurando interferir o menos possível, sem querer manipular nada nem ninguém, simplesmente deixando que as coisas aconteçam para participar, viver, fazer o que souber na hora?

Pensando assim senti um enorme alívio. Eu não precisava fazer nada, ir a nenhum lugar, realizar nenhum esforço especial para ser feliz. A única coisa que me competia fazer era sintonizar com a felicidade, pensar nela, acreditar nela e confiar.

Aliás, não foi isso mesmo que todos os profetas ensinaram? A fé não remove montanhas? Diante disso, não sentem vontade de me acompanhar? De experimentar?

O prêmio

Não existe nada mais fascinante do que um prêmio. Para a maioria das pessoas, ganhar um prêmio é mais importante do que qualquer coisa. Representa ser o melhor, o mais adequado, o mais inteligente, o mais mais de qualquer mais que você pensar.

É a recompensa do esforço de cada um, a resposta social de que estamos sendo adequados, valorizados, compreendidos, vistos com respeito e com admiração. É como se todos dissessem:

— Veja como ele sabe fazer as coisas! Como ele é bom!

Por causa disso é que a premiação tornou-se um hábito social, e até profissional, tendo em vista o sucesso alcançado.

É o melhor disto, o melhor daquilo, o primeiro nesta ou naquela área, e nessa disputa todas as pessoas brigam para conquistar um lugar de destaque. Ser o primeiro vale todos os esforços e sacrifícios.

Você já pensou que ilusão? Pois é, ilusão, só ilusão, porque se você observar bem perceberá que sempre vai existir alguém que sabe mais, que é melhor do que você neste ou naquele aspecto. Claro. Nem poderia ser diferente. Não é a humanidade heterogênea? Não faz parte da aprendizagem a mixagem de diferentes níveis de evolução para que haja mais aproveitamento?

Isso é tão verdadeiro que eu me pergunto por que nós ainda continuamos a manter a ilusão de que precisamos constantemente ser valorizados pelos outros para que possamos nos sentir úteis.

Por causa dessa necessidade é que temos sido usados pelos mais "espertos" com tanta eficácia. Na verdade o jogo de interesses rege nosso relacionamento com as pessoas, onde cada um tenta aproveitar-se daquilo que consegue "arrancar" do outro.

Se observarmos bem, há sempre um interesse qualquer em cultivar esse ou aquele relacionamento. E se ele não nos oferecer nenhuma vantagem, nós certamente não nos interessaremos em mantê-lo, em cultivá-lo. Parece-me ver o protesto de alguns diante do que eu estou afirmando:

— Como?! Não existe sinceridade, amizade, fraternidade? Esses belos sentimentos seriam apenas fruto da ilusão humana?

Vocês já observaram a criança quando começa a frequentar a escola? Nos primeiros dias tenta manipular os colegas da mesma forma que faz com os pais ou com a família. Cedo percebe que não consegue o mesmo resultado. Então, tenta conseguir isso de outra forma. Vai cedendo mas ao mesmo tempo oferecendo alguma coisa em troca. E aos poucos vai se adaptando, estabelecendo novas regras de convivência. Quando crescemos, continuamos fazendo o mesmo. A ideia ainda é a mesma. Se o outro deixar, nós o usaremos despudoradamente e sem nenhum remorso, achando até bom conseguir o que precisamos.

Aí vocês vão dizer que estou sendo cínico demais. Não penso assim porquanto num relacionamento há sempre uma divisão de responsabilidade. A qualidade que ele virá a ter, quem vai manipular quem, ou quem vai usar quem, vai depender de ambas as partes. Mas que há uma competição constante, isso há, e vocês, se observarem bem, concordarão comigo.

Então, dirão os mais afoitos, estamos sendo sempre vítimas ou verdugos? Não existirá outra forma de se relacionar com os outros?

Claro que há, mas para isso torna-se necessário perceber quais são as ilusões que cultivamos que nos empurram a essa espécie de jogo em que, no fim, acabaremos frustrados e insatisfeitos.

Claro que a frustração sempre será fruto de uma ilusão, cultivada e alimentada. A verdade, nesses casos, dói e incomoda. Mas ao mesmo tempo reeduca e nos posiciona no lugar certo.

Mas um prêmio, quem recusaria? Desde cedo os pais nos oferecem essa oportunidade, nos premiando sempre que obedecemos, que fazemos o que eles querem. Não será essa uma forma de conseguirmos recompensa? A recompensa não será uma motivação a nosso esforço?

Fiquei pensando, pensando. Se ninguém oferecesse nada, nenhum prêmio, nenhuma recompensa, se não víssemos nenhuma vantagem, nós nos esforçaríamos para progredir? Quer dizer então que os fins justificam os meios? O velho padre Juventino de meus tempos de Liceu teria razão? Para educar era preciso premiar e castigar?

Mas, por outro lado, o vício de só fazer as coisas quando houver alguma recompensa, um prêmio, ou uma vantagem, não nos colocaria a mercê do julgamento dos outros e a seu arbítrio?

Confesso que por mais que tentasse não conseguia encontrar uma resposta que me satisfizesse. A ideia do crime e castigo feria fundo minha crença na bondade de Deus. O castigo não seria uma forma de vingança?

Decidido a compreender, resolvi aproveitar meu tempo disponível para estudar melhor essa questão. Conversando com um de nossos amigos que militam nessa área, ele me permitiu que o acompanhasse a um centro que estuda esse tema há muito tempo e já dispõe de pesquisas interessantes.

Foi com prazer que percorri aqueles compartimentos, cheios de aparelhos e luzes, gráficos, números e símbolos.

Em frente a um gráfico multicolorido nós paramos. Humberto apontou para um ponto luminoso dizendo:

— Veja. Este é um cérebro humano, aqui se registram as reações da lógica e do pensamento. Aqui mais embaixo, essa luz maior, é a sede dos sentimentos, claro refletindo a essência, a alma. Essas ramificações são os caminhos que os sentimentos percorrem e por onde se expressam. Conforme o nível de evolução, esse painel muda. Agora ele não está conectado com nenhuma pessoa, por isso, como pode ver, as cores são puras e límpidas. As ondas que circulam são harmoniosas e calmas.

Eu estava deslumbrado.

— Como são feitas as pesquisas?

— Vou mostrar-lhe. Acionando esse comando, escolho um número de registro de uma pessoa ligada a nosso centro.

— Encarnada na Terra?

— Sim. É lá que podemos encontrar mais evidentes as reações que desejamos estudar.

— Veja — continuou ele. — Já acionei o processo e estamos ligados com uma pesquisa que foi feita com uma pessoa na Terra.

Curioso, observei que tudo se transformara. As cores modificavam-se e as energias acumulavam-se em várias áreas. Humberto explicou:

— Veja. Note como a alma está sufocada. Ela está a ponto de explodir e essa energia espalha-se por todo o corpo astral e carnal.

— Interessante — observei —, por que essa energia não vai para o cérebro?

— Porque ele está bloqueado. Veja, o subconsciente está cheio de ideias e crenças que não têm conexão com o que a alma sente.

— A cabeça pode pensar sem que a alma participe?

— Claro. A lógica é fruto das crenças aprendidas. Daquilo em que a pessoa acreditou, que alguém disse, que ela leu, que os pais ensinaram.

— Nesse caso, dá para perceber que nem sempre elas são verdadeiras.

— Às vezes, diante de necessidades temporárias da alma, podem até ter ajudado, mas certamente, quando a pessoa amadurecer, por certo terão que ser modificadas.

— Posso sentir que isso é doloroso.

— Dependendo do caso, pode ser. A alma, quando não é ouvida, bombardeia o corpo astral, que por sua vez bombardeia o corpo físico e acaba sempre provocando uma mudança. Uma doença, um acidente, algo que permita a energia sair e aliviar a pressão. Infelizmente, a resistência em deixar velhas crenças agrava esse problema. Veja este caso, a pessoa é muito submissa e está sendo usada pelos outros.

— Que horror! Fico arrepiado só em pensar.

— Não precisa alarmar-se. Essa é uma situação natural no mundo. As pessoas se influenciam mutuamente, e têm suas prioridades. Esta é a de uma mulher dominada pelo marido. Ele manda e desmanda, ela obedece sem questionar. Faz tudo que ele quer.

— Nesse caso, ela corre o risco de adoecer brevemente. Pelo que estou vendo aqui, os vasos sanguíneos não vão aguentar a pressão, parecem que vão explodir. Por que ela não reage?

— Vejamos. Olhe agora, ela tem ilusões que alimenta com prazer e por isso escolheu fazer só o que ele quer.

— Mas isso não o fará amá-la mais, ao contrário, ele por certo não a respeitará. Ninguém pode respeitar uma pessoa tão apagada e passiva.

— Mas ela ama as ilusões. Veja. Ela acredita que, agindo assim, mantém o relacionamento, e o prioritário para ela é manter a fama de mulher boa, dedicada, boa mãe, perfeita e bondosa. É a forma que ela acredita ser perfeita. Para isso não é preciso suportar tudo? O aplauso do mundo representa para ela o maior prêmio, e você sabe como o prêmio é importante.

Não me conformei:

— Mas isso é uma tremenda ilusão! Um dia ela vai perceber que não viveu. Apenas esperou por alguma coisa que não existia. Acabará por perder a própria identidade, e quando chegar a hora de estar só consigo mesma, ela sentirá que não sabe mais como é, do que gosta, do que sabe, etc. É uma anulação completa do eu!

— O que fazer? As pessoas usam umas às outras, deixam-se usar, movidas pelas ilusões que acariciam e alimentam. Se conseguissem perceber isso, se livrariam de muitas dores.

— Por certo. Nesse caso, apesar das aparências, ninguém é vítima de ninguém.

— Isso mesmo. Como pode ver, o que existe atrás desse aparente jogo de interesses que movem os relacionamentos entre as pessoas é apenas o desejo de alimentarem suas ilusões. Seus sonhos de grandeza e de superioridade. Só por isso que um prêmio faz tanto sucesso no mundo.

Não é que ele tinha razão? O que pode nos alimentar as ilusões mais do que um prêmio? O que nos é mais grato do que os sonhos, onde nos tornamos personagens vencedores e felizes, maravilhosos e perfeitos?

Pensando nisso, comecei a prestar atenção para perceber quais as ilusões que me motivam. Você também? Na verdade o que eu quero é perceber o que minha essência deseja expressar, quero que ela seja livre para derramar seus sentimentos, que tenho a certeza serão muito melhores do que minhas ilusões. Não são eles uma manifestação da alma, que no fundo é a essência de Deus?

Comparação

Em que pesem minhas novas condições de vida aqui nesta dimensão, é muito difícil ainda separar o tempo que vivi no mundo do que estou vivenciando agora.

Tudo é tão contínuo, tão sequencial que às vezes me parece estar ainda encarnado.

Estão admirados? Pensam que exagero? Qual nada. Tudo continua. As dúvidas, os medos, as alegrias, os afetos, tudo, tudo mesmo. Pensando bem, não poderia ser diferente, uma vez que nós somos os mesmos.

Então, ao morrer não nos transformamos em fantasmas transparentes e serenos, insensíveis à dor e às sensações que experimentamos no mundo? Não nos encontramos com nenhum anjo, ou santo, ou ainda ser superior que nos cobra os erros e os acertos e nos julga, sentenciando-nos ao purgatório, ao céu ou ao inferno?

Não. Não existe nada disso.

E recordando as histórias que nos contam quando somos crianças, penso que elas tenham sido inventadas para conter nossas travessuras, ou até com o pensamento louvável de nos educar e evitar que venhamos a nos tornar perniciosos à sociedade. Pena que elas sejam tão ineficientes e, o que é pior, até nos prejudiquem, em alguns casos despertando nosso senso de defesa e consequentemente nossa agressividade, e, em outros, empurrando-nos ao medo e bloqueando nossa ação.

Fico admirado ao notar que, apesar do imenso progresso da humanidade e da rapidez com que se estuda hoje em dia, esses critérios ainda sejam utilizados. Não sei se por comodismo ou por imaginar que o papel exija este ou aquele comportamento, é que tanto os pais quanto os mestres se repetem nesse método com incrível tenacidade.

Será que ainda não perceberam que não está funcionando? Será que ainda não descobriram que quando algo não está dando certo é preciso mudar? Tentar outros meios?

O interessante é que a psicologia moderna tem salientado muito esse assunto. Até com destaque, os psicólogos não se cansam de apontar como causa de nossos enganos e sofrimentos os ensinamentos que colhemos na infância e tanto os pais como os professores são amplamente criticados. No entanto, pude observar que isso só acontece intelectualmente porquanto eles mesmos, em casa, em sua vida particular, continuam agindo da mesma forma que seus pais fizeram.

Não é de admirar? Pois é, são coisas de nossa maneira de ser. Mas viver aqui não nos torna diferentes do que fomos. Claro que fisicamente estamos em uma situação diferente. E é isso o que torna interessante a nova situação.

Aqui, as coisas ocorrem com maior rapidez. O tempo é sentido de forma diferente. As emoções são mais profundas. As situações podem se modificar velozmente. Eu diria mesmo que este mundo onde eu vivo agora é mais ágil, mais maleável, por isso mesmo, incrível para quem consegue perceber.

Eu disse isso porque, na verdade, cada um é o que é por dentro. É o espírito, no estágio em que está, no nível que lhe é próprio e dentro das variáveis que ele pode acionar como entender. Há uma faixa de tempo que a vida concede para cada um fazer seu trabalho.

Estão admirados? A vida não mima ninguém. Ela é prática e utilitária. Usa tudo em benefício de todos e nunca fará o trabalho que você já pode fazer. É tão esperta que se você trabalhou bem, progrediu, desenvolveu sua lucidez, por mais sábio que você esteja, ela sempre colocará em sua frente um novo desafio para que seu progresso continue ilimitado.

Não foi isso que ela sempre fez? A Terra não tinha tudo desde o começo da civilização, e até hoje os homens descobrem seus segredos a cada dia? Ela espera que os ousados façam, os fortes mantenham e que os criativos descubram.

E os fracos, os medrosos, os preguiçosos? Esses, findo o tempo que lhes era reservado, ela empurra com força, e aí acontece a tragédia, a dor, tudo. Para evitar isso é preciso ousar, tornar-se forte e desenvolver a criatividade.

Há quem pense que morrer, viver em outro mundo, seja algo vago e etéreo. Puro engano. Posso afirmar que a vida aqui é tão objetiva quanto na Terra, só que, como eu já disse, muito mais ágil.

Porém, como nós somos o que somos, aqui continuamos a ser os mesmos. A mudança ocorre mais no exterior. Logo aprendemos a lidar com a nova situação e passamos a viver igual na Terra. As indecisões, os medos, os afetos, as aparências, tudo, tudo mesmo, segue igual.

Não acreditam? Mas é verdade. Só que tudo fica mais rápido. Os "espertos" da Terra vivem por aqui querendo enganar os outros e levar alguma vantagem.

— Como?! — dirão alguns. — No outro mundo também existe isso?

Existe. Existe porque há também os que se deixam enganar com facilidade. Os ingênuos continuam ingênuos mesmo depois da morte. E é claro que serão facilmente enganados. Há os fortes dominando os fracos, os que chantageiam envolvendo os medrosos, os que seduzem, os que desejam aparentar serem melhores do que realmente são.

Estão decepcionados? A morte não nos levará ao mundo perfeito, cheio de bondade e luz? Aí depende de cada um. Em seu caso, como nos demais, depende apenas de você. De como você está agora.

E o paraíso? E os planos de luz e de felicidade eterna, onde estão? Eles estão onde sempre estiveram e nós estamos onde nos colocamos, ou melhor, onde já conseguimos chegar.

É por isso que eu disse que às vezes me esqueço de que não estou encarnado na Terra. É tudo tão semelhante! As pessoas, as situações, e até as casas. Eu sinto saudade de viver aí, só porque existem pessoas e lugares que me são caros e onde eu gostaria de voltar.

Contudo, há uma coisa que me assusta um pouco. É o esquecimento do passado e a lentidão com que realizamos nossos desejos na Terra. Nesse caso, o corpo de carne representaria uma prisão. Talvez seja por isso que devamos esquecer tudo. Para podermos aceitar o breque da vida no corpo e aprendermos a disciplinar nossos sentimentos.

Mas uma coisa é certa: a conquista de nossa maturidade se realiza ininterruptamente, estejamos aqui ou aí, e é isso que precisamos observar. Nossa lucidez, nosso progresso não dependem do local onde a vida nos coloca para viver, mas de como aproveitamos as oportunidades que nos são oferecidas. De como escolhemos renovar nossas ideias, de nossa maleabilidade aceitando as coisas novas e de nosso otimismo para enxergar a vida como ela é. Percebendo que tudo sempre esteve certo porque Deus nunca erra e que confiar no futuro, na bondade e no amor representa nossa melhor chance.

Eu agora estou pensando assim, e posso garantir que me sinto muito bem. Seja onde for, estarei atento para não perder nada, nenhuma oportunidade.

Sabem o que descobri? Assim como na Terra no início da civilização já havia tudo que o homem precisava para desenvolver-se, também dentro de cada um de nós há a essência espiritual, presença de Deus, do Bem Maior, com tudo que precisamos para desfrutar de uma vida plena de felicidade e alegria. Não importa em que mundo você está agora, mas onde você coloca seu poder de escolha. Se preferir continuar na incredulidade e no negativismo, continuará na dor e no sofrimento, e vai demorar para desenvolver a própria lucidez. Porém, se mudar para o bem, confiar em sua luz, na força de Deus em você, poderá desfrutar, onde estiver, uma vida muito melhor.

Eu creio nisso. Você não? Em todo caso, não acha que seria bom começar a procurar? Quem poderá saber os tesouros de bondade e de amor, de carinho e de dignidade que você descobrirá dentro de si? E quando os encontrar, aceite essa descoberta com naturalidade. Reverenciando nossa grandeza de alma não estaremos reverenciando Deus?

Dramatização

Tendo descoberto que nós temos a possibilidade de aprender sem sofrer, de evoluir sem dor, eu ultimamente venho me dedicando a estudar o comportamento a fim de aprender como eu posso fazer isso.

Claro, estou cansado de sofrer, de chorar, e confesso que quando eu pensava ser esse o único caminho que se nos oferecia para crescer, não me entusiasmava muito caminhar para a frente, com medo de pagar caro pelo progresso conquistado.

Talvez seja essa a causa de nossa contumaz resistência ao novo, às mudanças, a tudo que ainda não seja conhecido e que não podemos controlar. A crença de que tudo tem um preço e que esse preço certamente será de muita dor e sacrifício nos tem contido, dificultando nosso progresso.

Nosso sentimento de defesa é tão forte que tentamos nos agarrar ao que nos parece sólido e confortável, bloqueando nossa criatividade, cortando nossas iniciativas. E é claro que, como uma compensação natural, nos damos ao luxo de criar ilusões de onde pretendemos retirar os elementos de satisfação interior, para com isso ludibriar nossos legítimos anseios de crescer e de nos sentirmos realizados.

Essa distorção nos tem infelicitado durante muitos anos. Agarrados ao materialismo, por julgarmos que seja mais objetivo e seguro, invertemos os valores da alma e procuramos obstruir nossa percepção natural e intuitiva, preferindo mergulhar inteiramente nos problemas do mundo, mantendo uma espécie de indiferença quanto ao que virá depois da morte, que nos parece distante e inoportuna.

Mas eu, que tenho penetrado na intimidade de muitos corações dos que vivem na Terra, tenho percebido que, à medida que os anos passam e a idade avança, o medo do futuro, do amanhã, do desconhecido aumenta, e há até os que, para não ter que olhar de frente para essa realidade, mergulham na inconsciência.

— Está caducando! — dizem alguns. — Está esclerosado!— dizem outros. E eu diria: — Está com medo! Pretende continuar fugindo para não aceitar a mudança, para não ter que olhar de frente para o desconhecido.

Essa alienação é constante e, infelizmente, por mais que nós, os que vivemos no outro mundo, tenhamos tentado esclarecer esse ponto, ainda não somos integralmente ouvidos. Mesmo entre os que dizem crer na continuidade da vida após a morte, há muitos que ainda se apegam ao materialismo e se agarram à casa, às pessoas, ao dinheiro, até à religião, na tentativa de prevenir-se, de defender-se do amanhã.

Entram de corpo e alma nesse jogo, embotam a percepção, mergulham fundo na ilusão, criam um padrão energético de defesa, de tal sorte mantido, alimentado, que é preciso haver uma atuação violenta da vida para rompê-lo.

Essa, meus amigos, é a causa da dor. Já pensaram que tristeza? Depois de passar por anos e anos de sofrimentos e tragédias no mundo, pensando que pelo menos você é um sério candidato a uma vaga no céu (claro, toda ilusão sempre oferece uma compensação), você descobre que tudo isso foi só para quebrar sua resistência, vencer sua obstinação, sua defesa, destruir os obstáculos que você mesmo colocou à sua volta.

Então a dor não depura? Ela não nos dignifica e engrandece quando a suportamos com coragem e paciência? Claro que o suportar com paciência coisas que não podemos evitar — e a dor quando vem é uma delas — por certo nos fará compreender o quanto somos fortes, o quanto aguentamos, e até o quanto Deus nos ajuda a passar pelo momento difícil, mas é só isso. Depurar mesmo, nos tornar melhores do que somos, nem pensar.

Agora, destruir nossa ilusões, deitar por terra nosso materialismo, destruir tudo e afastar as pessoas às quais nos agarrávamos, isso ela faz. E o faz para que possamos enxergar a realidade, modificando nossas ideias, abrindo lugar para que tenhamos uma nova visão. Para que tomemos consciência de nossa própria alma e de nossas verdadeiras necessidades.

Ah! Se o homem na Terra pudesse entender que ele pode viver melhor! Se ele soubesse que as coisas não são da forma como ele pensa, tudo se modificaria. Sim, porque o pensamento é fonte criadora, quando mantido e alimentado ele se materializa.

É por isso que eu tenho vindo escrever, é por isso que eu falo desses assuntos. Vocês acreditariam se eu dissesse que a violência que anda pelo mundo nos dias de hoje é fruto da necessidade de defesa? Pois é. A agressividade sempre é uma forma de defesa.

Estudando os dramas e tragédias do cotidiano, visitando hospitais e presídios, ouvindo e registrando problemas e sentimentos, medos e modos de olhar as coisas, percebi claramente isso.

As pessoas se agarram a suas ilusões e as defendem com unhas e dentes. Dependendo do nível e do padrão de consciência que possuem, agridem de uma forma ou de outra, viabilizando o estado atual da civilização no planeta.

Uns matam, fazem guerra, justiça com as próprias mãos; outros criticam, destroem, pela imprensa ou não; outros, ainda, desunem as famílias, criticam a sociedade, jogam uma classe social contra a outra.

Há ainda aqueles que acreditam que pela religião e pelo temor ao castigo de Deus poderão influenciar as pessoas, acabar com a crueldade e com a violência no mundo.

Que ilusão! Sinto dizer, mas todos estão iludidos. Quanto mais medo, mais insegurança e mais defesa; quanto mais defesa, mais violência, mais crueldade e mais sofrimento.

O animal ferido, acuado e com medo torna-se muito mais perigoso. Sem falar nos profissionais da dramatização. Já ouviram falar neles? Estão espalhados por toda parte, até por aqui onde eu vivo. São maravilhosos em imaginar todas as possibilidades futuras de uma pessoa, claro, sempre com muita emoção e muito sofrimento. Para prevenir-se e evitar que aconteça.

Isso é muito comum e todos nós já fizemos isso algum dia. Talvez para tentar burlar o sofrimento, chorando muito antes, para, de alguma forma, comover a vida ou até Deus e encurtar o processo. As crianças não começam a gritar antes de algumas palmadas para tentar diminuir o número delas?

Ou até quem sabe para alimentar o prazer de ser herói e sofrer mais do que qualquer outra pessoa. Nisso também nós não queremos perder. Nessa competição de ser o mais sofredor, de ter a maior dor, sempre queremos ser os primeiros.

Por causa disso é que as pessoas sentem um prazer enorme em contar suas penas, suas doenças, seus dramas, sua tragédia.

Tudo continua sendo defesa. É para dizer à vida que já sofreu mais do que todos e que já chega. Toda reclamação, toda gritaria, é sempre defesa.

Você já percebeu isso? Já tentou descobrir por que você se defende tanto?

Quanto a mim, venho pensando muito nisso. Sim, porque comigo acontece o contrário. Eu não empaco, eu quero ir depressa, me livrar logo dos problemas e principalmente dos que me incomodam. E a dor, o sofrimento incomodam muito.

Por isso, quando descubro algo, procuro pôr logo em prática. Mas se a resistência obstrui, a pressa também ilude e ambas nos conduzem à fantasia. Tentar praticar o que aprendi é bom e não é o que atrapalha. Mas a maneira como eu faço isso é que ainda não me permite obter tudo quanto eu desejo.

Sabem o que eu descobri? Que para evitar olhar melhor minha realidade interior, eu criei uma ilusão: a de que eu precisava contar ao mundo minhas descobertas e que assim acabaria com a necessidade de defesa das pessoas, e como consequência a violência desapareceria do mundo.

Já pensaram que pretensão? Claro que eu pude diagnosticar a causa dos problemas humanos, mas daí a pretender que todos aprendam isso comigo vai uma considerável distância.

Observando melhor minhas necessidades e condições, cheguei à conclusão de que se eu aplicasse minhas ideias comigo mesmo e pudesse me libertar de grande parte de meus problemas, seria o ideal. Porque compreendi que o mundo inteiro poderia aprender, melhorar, acabar com a violência, ser mais feliz, que isso seria um bem, me granjearia muitos amigos, porém não me faria ser mais consciente ou melhor. O trabalho de meu desenvolvimento é meu mesmo.

É por isso que eu desconfio de todos os planos grandiosos de salvação da humanidade. Quando embarcamos nessa, o que se esconde atrás? O que não desejamos perceber em nós, do que estamos fugindo?

Vocês vão dizer que o ideal de ajuda à humanidade é sagrado. Que o dever para com o próximo é fundamental. Tudo bem, concordo, quando você tem condições reais para conseguir isso. Você acha que tem? Eu não. Hoje, eu me contento em prestar atenção, em aprender a ler as necessidades de minha alma e através dela compreender a grandiosidade do que é espiritual, eterno e verdadeiro. Vivenciar isso é para mim o mais importante.

Agora, sonhar é bom e não custa nada. Já pensaram em um mundo onde todas as pessoas vivam felizes? Onde elas confiam na vida, sabem que Deus nunca erra nem nunca esteve omisso? Que faz tudo certo e cada coisa em sua hora e lugar? Que não há necessidade de defender-se de nada porque não existe perigo no mundo? Que há fartura na natureza e há riqueza suficiente para todos? Quem não gostaria de viver em um mundo desses? Que quem dramatiza diz à vida que gosta do drama e quem acredita na violência acaba topando com ela?

Você sabia que o que você planta colhe? Essa sentença é muito velha, mas muito verdadeira.

Sabendo disso, não seria melhor você passar uma vista de olhos sobre seus pensamentos habituais e verificar em quais você põe sua força de fé? É muito provável que um dia eles se materializem em sua vida. Não seria bom se eles fossem positivos e alegres?

Eu estou tentando fazer isso e confesso que me dei muito bem. Porque descobrir que alimentamos um pensamento ou uma crença desagradável é sempre oportuno, uma vez que temos o poder de modificá-los. É só querer. E substituí-los por outros mais condizentes com o que desejamos materializar para nós no futuro.

Não acham que estou sendo esperto? Que estou me prevenindo? E aí vocês vão dizer que isso também é uma defesa. Que se eu acreditasse mesmo na perfeição da vida, não precisaria disso.

Era só deixar fluir. E eu respondo que eu não disse que a defesa verdadeira é um mal.

Quando você conseguir enxergar sua verdade, aquilo que precisa para ser feliz, você pode evitar coisas que você já sabe que não lhe seriam mais adequadas. Isso é defesa? Pode ser, mas é mais inteligência, lucidez, conhecimento, maturidade.

Não acham que estou progredindo?

Saudade

Sentir saudade! Mergulhar nela tanto pode ser agradável como fazer brotar um sentimento de perda e de insatisfação.

Sou um saudoso. Não que viva cultuando o passado, nem que sinta falta de alguma coisa. Mas gosto de recordar momentos preciosos que falaram muito a meus mais caros sentimentos e reviver aquelas alegrias. Não é a saudade da falta, nem vontade de voltar ao passado, mas é o prazer de sentir de novo as emoções de momentos felizes.

É perceber o bem que recebemos da vida. É a confirmação de que o amor divino é pródigo em nos fazer felizes. É um misto de prazer e gratidão, é a alegria de viver.

Saudade para mim é isso. Para vocês não? Tenho observado o que as pessoas fazem com os próprios sentimentos e percebido o quanto têm usado mal essa palavra.

Claro que ninguém sente saudade das coisas desagradáveis. O desejo de sentir de novo, de voltar ao que passou, vem do prazer que esses momentos nos proporcionaram. Isso seria o lógico, o natural, mas não é o que ocorre. Por causa das nossa ilusões.

Não acreditam? Pensam que são as pessoas mais "realistas" do mundo? Será mesmo?

Parece-me ver alguns dizerem que "afinal um pouco de ilusão é a forma de adoçar a dura realidade do dia a dia". Você também pensa assim?

Valorizar a ilusão é o mesmo que preferir a infelicidade, a frustração, a cegueira espiritual. O medo da realidade que julgamos ruim nos faz criar e desenvolver sonhos para o futuro que nos tornam incapacitados para perceber e apreciar todo o bem, todas as coisas boas que nos acontecem no dia a dia. Você tem muitos sonhos nos quais, por fim, alcança a felicidade completa?

Posso entender. Eu também já fui assim. Essa ilusão que nos impede de desfrutar os bons momentos do presente desenvolve também um sentimento de frustração que se mistura à nossa saudade. Faz com que, ao voltarmos os olhos para o passado, nos sintamos logrados, decepcionados. E nessa situação nos culpamos, nos acusamos disto ou daquilo, criticando nosso comportamento, pensando que se tivéssemos agido desta ou daquela forma teríamos conquistado nosso sonho.

— Se eu pudesse voltar atrás, agiria diferente! — costumamos dizer.

Quer maior ilusão do que esta? Nós agimos como podíamos ter agido na época. Sempre pensamos fazer o melhor. Se deu errado, foi porque estávamos equivocados. Se a mesma situação ocorresse hoje, tentaríamos outra coisa, mas nada garante que chegaríamos ao ponto desejado. É preciso várias tentativas para aprender como fazer as coisas de forma adequada.

Quando cultivamos uma ilusão, o tempo pode ser usado para alimentá-la ainda mais. Recordar uma situação vivenciada anos atrás pode ser motivo para uma fantasia maior, onde as condições sejam ainda mais distorcidas e modificadas, de acordo com nossa necessidade de mantê-la.

É claro que um dia a verdade aparecerá e arrancará de nós esses enganos. E quanto maior nossa resistência, mais dura será nossa realidade. Largar os sonhos, as ilusões, cultivados durante anos e anos, sempre será trabalhoso.

Reconhecer que nossos sonhos nunca se realizarão é sem dúvida penoso. Mesmo porque não acreditamos que a realidade seja melhor do que eles.

Contudo, eu afirmo que a verdade é nosso maior bem e além de nos libertar nos permite usufruir a felicidade maior que tanto procuramos.

É muito comum as pessoas chegarem aqui nesta dimensão, depois da morte do corpo, tão envolvidas pelos sonhos que cultivaram no mundo que sequer puderam apreciar as coisas boas que vivenciaram na Terra. Quase sempre estão revoltadas, insatisfeitas, saudosas de coisas que nunca aconteceram, mas que elas gostariam que tivessem acontecido, carregando esse sentimento de perda, como se houvessem desperdiçado a vida, amarguradas e desgastadas, infelizes e queixosas.

Quando melhoram um pouco e se lhes são mostradas quantas bênçãos receberam durante aquela vida na Terra, elas se admiram, descobrem que sua infelicidade não passava de uma criação de suas ilusões.

Esse tem sido o círculo vicioso de nossas reações. Culpar a saudade por nossos desacertos é enganar-se ainda mais. A saudade é um sentimento altamente gratificante e sempre nos dará uma resposta positiva.

Recordar-se de momentos bons, de pessoas que amamos, de alegrias que usufruímos, nos alimenta e supre. Nos torna felizes e realizados.

Mas isso só acontece quando nos lembramos de momentos em que participamos com a alma, valorizando sentimentos e energias verdadeiras.

Se ao recordar seu passado você não sente essa felicidade, se, ao contrário, sente-se frustrado, infeliz, insatisfeito, tente descobrir quais as ilusões que você tem cultivado. É comum descobrirmos que, além de nós, culpamos os outros por não haverem se comportado como nós gostaríamos.

A ilusão de manipular a vida, as coisas, as pessoas, tem nos acompanhado durante muitos anos. Pode ser que este seja seu caso.

Agora, se sua saudade for gostosa, agradável, se ao recordar fatos de seu passado você sente um calor de prazer pelo corpo, uma sensação de alegria e de bem-estar, então sim, você realmente tem saudade e deve cultivar de vez em quando esse sentimento, na certeza de que o que é bom e dá prazer merece nossa atenção.

A felicidade é feita desses momentos. E ser feliz é nosso maior desejo. O bom disso é que essa é a tônica da realidade. Não é uma ilusão, como alguns pensam, mas é simplesmente o que é, nem mais nem menos. É a perene conquista da estabilidade, da paz.

Deu para entender? Eu já estou tentando seguir esse caminho. Você vem comigo?

O trauma

Desde que os psicólogos inventaram essa palavra, virou sinônimo de modernidade e as pessoas adoram usá-la.

Pudera, ela veio dar um cunho intelectual, um ar de maturidade e conhecimento dos problemas humanos de tal sorte que todos pretendem explicar com ela as causas das mais complexas atitudes de cada um.

E se o trauma explica muitas das atitudes dos adultos, os da infância então são os mais utilizados. Eles passaram a fazer parte do dia a dia das pessoas, que com ele justificam as mais variadas atitudes.

— Ele bebe porque tem um trauma de infância. Foi rejeitado pela mãe antes do nascimento.

Ou então:

— Ela odeia o pai porque não lhe deu a atenção suficiente e ela ficou com trauma.

E as explicações se multiplicam, procurando colocar o trauma como causa principal de todas as fraquezas do homem. E quando a pessoa não tem nenhum, ou não se lembra de nada que possa ser encaixado nessa justificativa mas tem problemas de comportamento, a procura vai mais fundo, com psicólogos, analistas e até psiquiatras, na tentativa de encontrar onde está o trauma para, derrotando-o, conseguir que a pessoa se equilibre.

Tenho pensado muito no assunto, porque sempre me interessei pelos problemas humanos e, naturalmente, compreender como a vida estabeleceu esse processo pode nos ajudar a viver melhor. Eu já disse a vocês que estou interessado em ser feliz? Pois é, esse é meu objetivo agora. Não é isso o que todos desejamos o tempo todo? Se é assim, por que perder tempo com outras coisas?

Tenho notado também que para tudo há uma chave. Algo que nos permite acionar um processo e conseguir um resultado positivo. E em cada problema com que eu me defronto, eu procuro logo encontrá-la para solucioná-lo.

Aí vocês vão perguntar:

— O trauma não seria a chave de nossos problemas emocionais? Não seria o fio da meada para o desenrolar de nosso processo de melhoria?

Não. Sinto responder que não. Sinto porque encontrar a chave, mover o processo de mudança, realmente é importante. Todavia, o trauma não é essa chave.

Como?! Então um sofrimento profundo, uma dor que nos marcou muito, uma agressão, uma violência, uma crueldade que nos fizeram, ou até o que não nos fizeram, o que nos negaram, como o amor, a atenção, etc., não podem provocar problemas de comportamento e desencadear dificuldades de relacionamento com a sociedade e com as pessoas?

Algumas vezes podem.

Mas vocês já repararam que isso vai depender da reação de cada um? A vida mostra constantemente isso.

Em uma família em que os pais são negligentes, ignorantes e até cruéis, os vários filhos não reagem da mesma forma. É comum alguns atravessarem essa fase sem grandes problemas, outros até encontrarem uma maneira de tirar proveito, desenvolvendo mais sua força interior e só um ou outro ficou com "trauma".

E o que dizer daqueles que têm pais relativamente equilibrados (dentro do conceito terreno), tiveram todas as atenções e carinhos, e, no entanto, se revelam complexados e de relacionamento difícil?

Pelo que tenho observado nesses anos em que tenho estudado dentro da ótica espiritual, nós é que reagimos ao meio ambiente e às pessoas que atraímos em nosso caminho, de acordo com a ótica que temos do mundo e das coisas.

É nossa forma de ver o que acreditamos e julgamos verdadeiro que provoca as reações dessa ou daquela experiência em nossa vida.

É claro que o meio ambiente e as pessoas com as quais somos chamados a viver nos bombardeiam energeticamente com seus pontos de vista e isso, dependendo do que permitimos, do que aceitamos, por certo nos influenciará desta ou daquela forma. Mas não será por causa disso que os atraímos em nossas vidas?

A carência material do meio não será para aprendermos a valorizar os bens que possuímos? A indiferença, a falta de atenção e de amor dos outros para conosco não nos chamará para nossa necessidade de amar? A solidão não nos ajudará a desenvolver a própria força, nos amadurecendo?

As negativas das pessoas em nos ajudar a resolver os problemas que nos afligem não será uma forma de desenvolvermos nossa inteligência e nossos potenciais, crescendo em criatividade e sabedoria?

Pensando em tudo isso, observando como as pessoas vivem e reagem, sinto dizer que o trauma, assim como é conhecido no mundo, não passa de um só conceito: mimo.

Vocês acham que não? Que aquela pessoa realmente teve motivos para embebedar-se até cair, e aquela outra para ser uma vítima da sociedade e da maldade do mundo? É? Vocês pensam mesmo assim?

Pena. Porque eu, quando descobri tudo isso, procurei meus "traumas" e, depois de identificá-los, consegui claramente perceber o quanto eu ainda me sentia "coitado" e uma "vítima da maldade alheia". O quanto usava isso como desculpa, diante de meu próprio juiz interior, para justificar o permanecer sem fazer nada, nenhum gesto para sair disso.

Claro, se a culpa é dos outros, eles é que deverão me salvar. Eu não precisarei fazer nada. Posso continuar gostosamente como estou, esperando que os outros me alisem a cabeça e façam tudo em meu favor.

Dá para entender? O que é isso senão mimo? O que é um trauma senão um capricho não satisfeito, uma ilusão não alimentada, uma forma distorcida de ver os fatos?

Claro que uma experiência difícil, uma dor real, um acontecimento trágico, se não for superado pode deixar uma impressão dolorosa que precisa ser digerida e nesses casos um bom terapeuta pode ajudar muito. Mas se ele for mesmo bom, ao invés de procurar traumas irá logo diagnosticar as causas verdadeiras do processo, muito mais profundas porque estão acomodadas nas crenças que a pessoa colocou no subconsciente e que precisarão ser revistas.

Se você acha que tem um "trauma", não será interessante tentar perceber o que se esconde atrás dele? Se fizer isso, eu garanto que descobrirá coisas muito interessantes sobre você mesmo. E, o que é mais importante, conseguirá encurtar muito seu processo de equilíbrio emocional.

Embora de vez em quando eu ainda tenha algumas recaídas, o que os experts do assunto já me informaram que é natural nesse processo, eu estou tentando e descobrindo coisas do arco-da-velha sobre mim mesmo.

Mas sabem de uma coisa? Olhando bem, bem mesmo, encontrei muitas coisas boas dentro de mim. Melhores do que eu ousava esperar. E isso me deu muita alegria e muita vontade de seguir em frente.

Por isso, não seja rigoroso com você mesmo. Não tenha medo de se ver. Você não é nada do que teme ser. Aquela vozinha que sussurra em você dizendo que você é incapaz, maldoso, falso e até cruel é só um desafio para ver se você reage. A hora em que você deixar de acreditar nela e procurar conhecer-se verdadeiramente, perceberá quantos lados positivos você tem.

Eu, que posso notar isso, me aproximando de você, sentindo as vibrações de sua alma, sei que quando você perceber o que já tem de melhor terá encontrado a chave de seu amadurecimento para seu equilíbrio espiritual.

Não acha que vale a pena tentar?

O arquipélago

Assim como a água não se mistura ao óleo, as pessoas também separam-se entre si. Claro, as afinidades atraem e, quando isso se dá, o relacionamento é prazeroso, leve, agradável, nutritivo. Mas os extremos também se tocam e o ódio, a repulsa unem tanto quanto o amor. E aí a convivência torna-se desagradável, penosa e pesada. E se uma é mantida com alegria e prazer, a outra é evitada.

Tudo bem. Nós as evitamos. Porém, há casos em que não conseguimos nos livrar delas. Quanto mais as evitamos, mais elas aparecem em nosso dia a dia; quanto mais queremos ver a pessoa pelas costas, mais nos encontramos com ela. E quando elas fazem parte da mesma família, nos laços apertados dos parentes próximos?

Ah! mas alguns reagem. Saem de casa, separam-se, vão para longe.

Para as mulheres, muitas vezes a solução aparece em um casamento apressado. Desejando uma mudança, uma libertação, optam por uma saída que pode ser enganosa e conduzir a um problema maior. Com isso, nem sempre conseguem safar-se. Ao cabo de certo tempo, eis que aquelas pessoas indesejáveis aparecem novamente no caminho, de tal sorte dependentes de nossos recursos que, para não nos sentirmos culpados, acabamos por aceitá-las em nosso convívio.

Sim, aquela sogra intratável, aquele pai arrogante, aquela mãe insuportável, até aquele primo que já nos causou muitos aborrecimentos e do qual queremos distância, seja qual for o caso que esteja nos acontecendo, pode adoecer, sofrer uma perda, um acidente, e acabar sob nossa responsabilidade, dentro de nossa própria casa.

E aí? Você tem um caso desses? O que faria se isso lhe acontecesse? Manteria sua posição e recusaria o auxílio? Se negaria a aceitar essa convivência?

Confesso que é uma situação difícil, porquanto nós temos o direito de preservar nosso bem-estar e ninguém teria condições de negar isso.

Mas, e nossos sentimentos, como ficariam? Se aceitarmos, teremos que vencer a repulsa e conviver com alguém que não se afina conosco, que pensa diferente, que pratica ou praticou atos que desaprovamos.

Por outro lado, quando isso acontece, a vida prepara tudo de tal sorte que a necessidade do outro é verdadeira e nós aparecemos como única possibilidade de auxílio.

Nessa altura você estará pensando que eu tenho algo contra você. Não é nada disso. Ao contrário. Sinto vontade de compreender. Em todos esses anos estudando o comportamento, tenho acompanhado casos assim que são muito frequentes. Muito mais frequentes do que você poderia imaginar.

Sabem o que tenho observado? Quando as pessoas resolvem aceitar a incumbência e prestar o auxílio necessário, enfrentando a situação com coragem e determinação, as coisas começam a se modificar. A convivência e o propósito de ajuda acabam por transformar a natureza daquele relacionamento e quem ajuda acaba por perceber os lados positivos do outro enquanto o que é ajudado, mais facilmente, pela confiança e pela gratidão, tendo experimentado as agruras do desvalimento, da dependência, acaba por exigir menos e humanizar-se mais.

No fim, embora ainda não exista uma afinidade, a convivência pode tornar-se natural e o ressentimento, a implicância e o julgamento são esquecidos. Em alguns casos, tenho visto até o nascimento de uma amizade verdadeira e sincera. Porque à medida que os padecimentos do que é dependente se agravam, a compaixão do outro é maior. E nesse ciclo de troca energética, tudo pode acontecer.

Você vai dizer que não deseja esquecer. Que isso não acontecerá com você. Que nada o obrigará a recolher em sua casa ou ajudar as pessoas de que você não gosta. Tem todo o direito de pensar assim. Você é livre para escolher. Contudo, eu, se fosse você, pensaria melhor antes de decidir. Por que será que a vida faria uma coisa dessas? Por que o colocaria em tal situação? Será apenas para vê-lo penitenciar-se?

Eu acredito que não. Lembre-se de que a vida faz tudo por nossa felicidade. Ela sempre escolhe o melhor caminho, o mais curto para alcançarmos todo o bem que desejamos.

Não seria melhor você perguntar o que ela pretende ensinar com isso? Eu, que já sei a resposta, posso até adiantar: ela trabalha pela harmonia universal e por seu equilíbrio interior. Até que ponto ele está sendo prejudicado pelo julgamento, pela irritação, pela condenação e pela falta de compreensão?

Não conviver por falta de afinidade é natural e não representa um problema; mas a crítica, a desaprovação, a raiva, a implicância são energias negativas que prejudicam e retardam o equilíbrio.

Depois, eu sei que ela pretende algo mais. Ela deseja que você descubra que em cada pessoa, por mais problemática que ela seja, existe uma alma, essência divina onde estão guardadas todas as potencialidades. Enquanto a pessoa aprende a expressá-la e isso demanda tempo, você pode desenvolver a compaixão e a paciência e principalmente o respeito pela vida, onde cada ser é divino.

Agora, se você teimar, continuar pretendendo ser uma ilha solitária no oceano, cercado somente pelas águas calmas, talvez a vida o faça mergulhar bem fundo no mar da reencarnação, para que no fim você venha a perceber que a separação é uma ilusão, porquanto lá no fundo todas as ilhas se ligam em um só torrão e não existe separação.

Não será melhor repensar?

O carma

Meu amigo Evaristo chegou ao plano astral revoltado e nervoso. A vida fora injusta com ele. Justamente quando ele mais desejava ficar, no momento mesmo em que ele conseguira descobrir tantas coisas importantes para seu progresso espiritual, quando iniciara projetos de vulto para a comunidade, utilizando-se dos conhecimentos alcançados, ele inesperadamente fora arrebatado da Terra, morrera.

A morte, para ele que acreditava na continuidade da vida, não fora o mais terrível. Ele a enfrentou muito bem, o que o incomodava era o momento. Não fora oportuno. Decididamente a vida errara com ele. Escolhera mal a hora.

Inconformado, queria de todas as formas permanecer na Terra, e embora sabendo que não poderia retomar o corpo físico, pretendia continuar a realizar seus projetos tão entusiasticamente iniciados e que, por certo, ajudariam muita gente.

Não obteve autorização. Isso o desconcertou ainda mais. Ele não queria tentar realizar o que pretendia sem obter a devida permissão. Era muito disciplinado e não desejava ser irreverente.

Desde então, Evaristo passou a tentar obter o que queria de todas as formas que podia. Se alguém o visitava, ele logo expunha seus pontos de vista e solicitava a opinião, bem como o auxílio à sua causa. Se era convocado a alguma atividade, ele se negava, alegando absoluta falta de tempo, uma vez que precisava estar disponível para a realização de seus projetos.

Conhecendo nossa amizade, Jaime um dia veio procurar-me:

— É sobre Evaristo. Talvez você possa nos ajudar. Ele lhe tem muito afeto e acata suas opiniões.

— Estive lá outro dia — respondi. —Não consegui nada. Ele está determinado. De nada valeram minhas ponderações. Ele se nega a ouvir. Diz que foi vítima de um engano e que o mínimo que pode obter agora, já que é impossível voltar atrás, é a oportunidade de finalizar o que começou.

— O que você pensa disso?

— Claro que não houve engano algum. Isso nunca aconteceu e duvido que aconteça. Mas confesso que não sei o que está havendo. Ele tem uma brilhante folha de serviços prestados ao bem comum. É equilibrado e trabalhador. Nesta encarnação, aprendeu ainda mais e, na verdade, seria até justo que ele obtivesse o que pretende. Poderia realmente prestar grandes serviços aos objetivos do bem. Se por algum motivo que eu desconheço ele foi forçado a voltar agora, pelo menos poderiam deixá-lo trabalhar e realizar o que deseja. Todos nós temos tido essa oportunidade. Eu mesmo quis escrever para a Terra e não só obtive permissão com fui auxiliado a conseguir isso.

Jaime sorriu levemente, dizendo com certa malícia:

— Vocês não conseguiram nada com ele porque no fundo, no fundo, pensam como ele. Acreditam que tenha havido algum engano.

— Eu não diria isso... — ajuntei indeciso. Eu sabia que a vida nunca se enganaria. Ela é Deus em ação, e Deus, nunca erra.

— Nesse caso, posso contar com sua ajuda?

— Se eu puder fazer alguma coisa...

— Poderá quando souber o que está acontecendo. Evaristo realmente tem progredido nas últimas encarnações e prestado inúmeros serviços à comunidade. Sua participação decisiva e correta em muitos momentos tem-nos permitido a realização de conquistas coletivas de vulto.

No entanto, ao lado de tudo isso, há nele um sentimento muito forte de liderança. Ele acredita que só ele poderia fazer esse projeto. Ultimamente, nós fomos percebendo que ele estava enveredando por um engano.

— Engano? Como assim?

— Você sabe que a evolução individual é sempre mais forte do que a coletiva. Isto é, a vida coloca em primeiro lugar nossas necessidades como pessoa. Se ela tiver que escolher entre nossas necessidades pessoais ou os benefícios da coletividade, ela trabalhará as nossas primeiro.

— Eu tenho notado isso. O bem coletivo não é o mais importante?

— Ela sabe que o coletivo é a soma de todos e que melhorar cada um sempre vai melhorar o resultado final.

Sorri encantado. Não é que eu nunca havia pensado nisso? Jaime continuou:

— Evaristo inverteu essa ordem. Em seu entusiasmo, não percebeu que estava subestimando os outros, colocando-se em superioridade, acreditando-se mais capacitado e mais preparado para os projetos da espiritualidade.

— Ele estava bem preparado.

— Estava. Mas esse pensamento que insidiosamente ele alimentou era preocupante e revelador. Nossos maiores decidiram estudar o caso. Para isso, consultaram sua ficha e perceberam que esse era um traço muito marcante de sua personalidade. Tudo começou em uma vida passada quando Evaristo foi rei. Aprendeu a realizar projetos coletivos e se entusiasmou. Nas vidas subsequentes, buscou de alguma forma trabalhar pelos outros, e conseguiu. Contudo, não gostava de delegar os poderes. Sempre encontrava um jeito de fazer ele mesmo as coisas mais importantes. Se por um lado ele era bom no que fazia e conseguia êxito, por outro não conseguia superar essa necessidade e caminhar adiante.

— Por isso ele fez tanto pelos outros! — ajuntei pensativo.

— Sim. Não foi propriamente por amor, mas para manter sua condição de liderança. Como você sabe, Evaristo é muito querido de todos nós. De uma forma ou de outra, cada um deve-lhe algum obséquio, um favor num momento de dificuldade.

— É verdade. A mim ele fez mais de um.

— Pois é isso. Nossos instrutores decidiram ajudá-lo mais diretamente a acabar com esse carma.

— Isso já era um carma?

— Claro. O que é o carma senão uma crença teimosamente renovada? Por isso morreu tão de repente. Se ele continuasse assim, chegaria o momento em que não haveria ajuda possível.

Ele teria que reencarnar despojado de toda a iniciativa para aprender a valorizar as potencialidades alheias.

— Apesar de todo o bem que ele já fez em favor dos outros?

— Sim. O bem que fazemos aos outros nos granjeia muitos amigos que nos ajudam sempre que podem, mas, como você sabe, a mudança interior é o que determina nosso destino. Ela é poder de cada um. Por isso nos empenhamos a que Evaristo compreenda e aceite o que lhe estamos propondo. Do jeito como ele está, não nos restará outro recurso senão que o carma se cumpra.

— E nesse caso?

— Ele reencarnará, e quando tiver começado a realizar seus projetos, sofrerá uma contenção física que o colocará na dependência de outras pessoas. Assim, acabará por aprender que as pessoas podem seguir por diferentes caminhos, mas que todas têm condições de fazer o que pretendem.

— Isso será muito penoso.

—Pela gratidão que lhe temos, todos queremos evitar isso. Mas o que fazer se ele não quiser entender?

Saí dali pensativo. Dando tratos à bola para descobrir uma maneira de convencer Evaristo. Fui procurá-lo na manhã seguinte. Depois de abraçá-lo, disse sério:

— Acabo de saber que você logo vai reencarnar.

— Eu?! Quem disse?

— Meu amigo Jaime.

— Nesse caso, vou realizar meus projetos. Ainda bem que eles resolveram desfazer o engano.

Meneei a cabeça:

— Se eu fosse você, não ficava feliz com isso.

— Por quê? É o que eu mais desejo na vida.

— Gostaria que você me ouvisse. Acabei de saber que não houve nenhum engano. Seu desencarne foi a maior ajuda.

Evaristo ergueu a cabeça dizendo com dignidade:

— Não é verdade. Minha vida estava sendo muito útil.

— Para os outros sim, mas e para você?

— Eu estava praticando o bem, logo...

Vendo que ele não entendia decidi ser mais duro:

— Você, além de cego, é muito pretensioso! Nunca vi tanta pretensão.

Assustado, ele abriu os olhos e me fixou. Eu continuei:

— Só você pode fazer o que pretende? O que o faz pensar que os outros não sejam capazes de realizá-lo igual ou melhor do que você?

— Por que está me dizendo isso? — balbuciou ele por fim.

— Porque durante muitas encarnações você tem agido assim e criou um carma doloroso que todos nós, seus amigos, estamos querendo evitar. Mas como só você pode conseguir isso, estou fazendo uma última tentativa. O que você prefere? Aceitar o que a vida lhe deu com coragem e humildade, reconhecer que ela sempre esteve certa, ou mergulhar de novo na carne para, a duras penas, aprender por fim a mesma coisa?

Eu disse isso com tanta convicção, com tanta vontade que ele acordasse! Havia tanta certeza em meu coração e tanto carinho que ele não resistiu. Por seu olhar passou um lampejo de emoção. Lágrimas rolaram por suas faces e eu em silêncio esperei. Depois de alguns instantes, ele abraçou-me com força. Embora não tivesse coragem de dizer nada, eu senti que ele havia finalmente entendido.

Saí dali de bem com a vida, alegre e feliz. Como é bom gostar das pessoas! Como tudo se torna mais fácil quando aceitamos a verdade e nos dispomos a cooperar! Isso fez-me pensar. Se eu estivesse com um problema como esse, gostaria muito que meus amigos fizessem o mesmo. Vocês não pensam como eu?

A constância

Ser constante é uma qualidade, mas pode também ser um empecilho ao progresso se for teimosia. Notando a dificuldade que as pessoas têm de andar para a frente, venho pensando muito nesse assunto, tentando descobrir a diferença entre uma coisa e outra.

Ser constante é ser firme, acreditar em alguma coisa e agir dentro desse conceito, sem medo ou preocupação, sentindo que ela é verdadeira. Ah! A intuição! Quando bem desenvolvida, não há nada que a substitua. A pessoa sabe que é para fazer isto ou aquilo, ir por um lado ou por outro. E, nesse caso, fica determinada. Nada que os outros digam ou façam pode demovê-la de seus propósitos. Mesmo que os fatos pareçam contrários e que o esperado resultado demore, não importa, ela continua firme e serena até o momento em que finalmente alcança o que pretendia.

Que maravilha! Essa é a perseverança dos que acreditam no bem, mesmo diante dos fatos dolorosos dos problemas humanos. Dos sábios que imperturbáveis não perdem a serenidade, sejam quais forem os acontecimentos a seu redor. Dos cientistas que procuram novos processos de conhecimento que possam melhorar o padrão de vida no mundo. Dos artistas, amantes da beleza, muitos deles incompreendidos por sua geração, que atravessam a vida passando por inúmeras dificuldades, insistindo em distribuir seus talentos.

Todos eles sentem, sabem, que a vida é muito mais do que nossos olhos podem perceber. Confiam em sua capacidade. Têm certeza de que podem chegar aonde querem, de que são capazes. E a natureza, que sempre dá àquele que tem, um dia os fará chegar aonde pretendem.

Já o teimoso, ao contrário. Ele obstrui a intuição. Julga-se imperfeito e cheio de defeitos. Dessa forma, como confiar em si mesmo? Desconfia de toda e qualquer facilidade, por isso pensa que tudo deve ser conseguido com muito esforço. Para se poupar de erros e sofrimentos, ele procura ilustrar-se, intelectualizar-se. Através dos livros e das ideias das pessoas de projeção social, ele constrói suas crenças e passa a viver de acordo com elas. Desta forma, sente-se seguro, alicerçado e em boa companhia.

Claro que ele tem medo de sair dessa posição. Ele não confia em si, só decide com a maioria. Só aceita uma ideia depois que a ciência oficial a acatou, que os intelectuais reconheceram e a sociedade adotou. Costumam dizer:

— Eu sou positivo e realista! Só aceito o que é verdadeiro!

Isso é o que eu chamo de errar pela cabeça alheia! Se a sociedade estivesse sempre agindo adequadamente, a situação das pessoas seria bem outra! Não haveria tantas ilusões, tantos enganos, tantas voltas para se chegar ao mesmo lugar.

É esse estado de coisas que precisa ser observado. A sociedade está doente há muito tempo. A ilusão da teimosia começa nela. Qualquer pessoa que deseje trabalhar a favor do bem tem que enfrentar inevitavelmente o meio social, a descrença, a desconfiança, a dificuldade.

Não é uma atitude prudente, para proteger-se dos abusos que aparecem de vez em quando. Se fosse isso, o bem estaria em primeiro lugar até prova em contrário, haveria o interesse de estudar o assunto, experimentar, sem preconceito ou radicalismo. Mas não é o que se vê.

Quanto mais intelectual, mais radical. Alguns se acreditam tão sábios, tão importantes, tão acima da maioria, que não aceitam nada que não passe pelas regras que estabeleceram. A prova de que eles estão iludidos é que os grandes homens da história só conseguiram realizar seus feitos tendo saído do convencional.

O bom senso, a prudência, manda estudar as coisas com isenção, experimentá-las para saber como funcionam. Só assim se pode ter uma visão mais verdadeira de uma ideia ou fato. E, percebendo essa veracidade, mudar suas crenças, aceitar o novo, já que ele é melhor.

Estudando as dificuldades que todos temos para mudar, cheguei à conclusão de que, alguns mais outros menos, ainda carregamos dentro de nós, arraigada, essa forma de ver o mundo. O fanatismo, a teimosia, o radicalismo, a discussão para confirmar nossas crenças, torcendo os fatos para que eles se adaptem a elas, o prazer de sermos sempre "certos", tudo vem do quanto estamos valorizando as ideias convencionais, em detrimento dos verdadeiros valores de nossa alma.

Aí vocês vão perguntar:

— Quer dizer que a sociedade está sempre errada? Não há nada nela que possamos aceitar?

Esse é o radicalismo maior. Se não podemos aceitar que ela seja parcial, estudar, experimentar, dar a cada coisa o valor que nos parece ter de verdade, não estaremos sendo extremistas? Claro que há valores convencionados, suficientemente provados, que merecem acatamento e respeito. Não é desses que eu falo, mas dos que todos "acham" sem haver vivenciado, das teorias muito bem boladas dentro do jogo da lógica humana e que são verdadeiras armadilhas da ilusão. Das que, por conterem alguma parcela de realidade, encobrem as fantasias do autor. Quantas delas existem pelo mundo infelicitando os que nelas creem?

E essa história do "Está escrito, é", "Li em um artigo no jornal" ou "Estava no livro do fulano de tal" não quer dizer que seja verdadeiro.

A citação dos autores, dos livros, costuma sempre adoçar a boca das pessoas que gostam de mostrar erudição. E a verdade, quem se preocupa em buscá-la?

Para encontrá-la é preciso mais do que procurar nas ideias alheias. É preciso entrar dentro de si mesmo e buscar a alma. É ela que guarda a perfeição divina em sua essência. Nossa alma sabe tudo, tem tudo, faz tudo. Nós é que ainda não desenvolvemos suficientemente nossa consciência para poder vê-la em toda a sua plenitude.

Mas, ainda assim, quando prestamos atenção, quando procuramos ouvi-la, ela sempre responde a nossas indagações. Quem sabe disso aprende a confiar em si mesmo. Valoriza a intuição, percebe a riqueza, a sabedoria, que ela guarda. É um potencial imenso, um poder ilimitado, uma capacidade infinita!

Puxa! Vocês não sabiam que eram tão poderosos assim. Isso eu garanto. E faço isso não por teimosia, ou por alguém importante me haver dito, ou por haver lido em algum lugar, mas porque eu já tentei. Experimentei, dei corda à minha intuição e sabem o que aconteceu? Foi maravilhoso! Não é que ela me inspirou mesmo? E eu fiz. Deu tudo certo.

Claro que agora eu sei como resolver meus assuntos e tomar minhas decisões. Não que eu já esteja muito apto e tudo esteja muito claro em minha cabeça. Tenho percebido que ainda guardo muitas "regras" convencionadas, vícios intelectuais de quando estava vivendo no mundo, mas faço o que posso para conseguir sair deles.

Como? Quando preciso resolver qualquer assunto e alguém me apresenta ideias diferentes das que conheço, por mais loucas ou estranhas que elas sejam, eu nunca as recuso nem procuro encontrar em minha mente uma explicação para ela. Sem formar nenhum conceito, sem emitir nenhum julgamento, me recolho e tento descobrir o que minha alma diz.

Como eu faço isso? Perguntando a ela, claro. E ela sempre responde. É só aguardar um pouco sem pensar em nada e logo a resposta vai ocorrer. Sim ou não. Quando perceber o que ela diz, é só seguir por aí.

Afinal, estou cansado de errar pela cabeça dos outros. Você não? Quando eu erro por minha própria escolha, sempre aprendo alguma coisa nova. Mas quando eu erro pela cabeça alheia, me fica uma sensação desagradável de frustração, de haver sido enganado, caído em uma armadilha, de haver "bobeado".

Quer coisa mais triste do que isso? Você não pensa como eu?

O concerto

Não há nada mais lindo e que fale mais a nossos sentimentos do que um bom concerto. Uma orquestra filarmônica ao vivo, executando melodias inesquecíveis que marcaram nossa estadia na Terra, e que por serem belíssimas continuam sendo cultivadas aqui, no mundo onde estou agora, despertam em nosso interior momentos de sublime saudade e encantamento, sem falar das que são compostas aqui e que têm o dom de nos enlevar ainda mais.

Quando eu estava na Terra, embora gostasse da alegria ruidosa das revistas musicais, sabia apreciar uma boa filarmônica e um bom autor. Melodias existem que têm o condão de falar à nossa alma, transportando-nos ao espiritual.

Aqui, na cidade onde eu vivo, temos regularmente concertos que fariam inveja ao mais exigente expert do assunto, e o espetáculo tanto pode ser ao ar livre como em nossos teatros, que são belíssimos e possuem capacidade para grande número de pessoas.

Aqui, o teatro em todas as suas variações é largamente utilizado para o entretenimento, mas neles há sempre o objetivo da educação e do refinamento.

— Hum! Eles devem ser maçantes!

Alguns vão dizer isso porque na Terra os projetos educativos costumam ser enfadonhos. Eu garanto que aqui isso não acontece. A arte, a beleza, o prazer de um bom espetáculo são considerados de maior importância na educação espiritual de todos.

Você sabia que nós temos escolas que desenvolvem o senso do belo? Pois é. Ficou provado que apreciar a beleza em todas as suas manifestações contribui para a elevação espiritual. Agora você vai dizer que eles estão incentivando a vaidade. Pelos conceitos humanos, a beleza física, por exemplo, pode vir a ser causa de muitos problemas, porquanto incentiva a vaidade. Isso porque a sociedade elegeu determinadas formas e classificou como belas e isso dividiu as pessoas. A beleza passou a ser privilégio de alguns, que se encaixam nessa classificação. Quanto aos outros, os diferentes, são todos feios. Essa diferença convencional é que favorece a ilusão de ser melhor e assanha a vaidade.

Aqui, em nossos cursos de percepção do belo, aprendemos a ver a beleza em tudo e em todos. Para isso não vamos colocar uma lente cor-de-rosa e fingir que tudo é bonito. Mas vamos tentar descobrir o que cada um tem de belo. A natureza é amante da beleza. Podemos constatar isso olhando todas as manifestações da vida.

Já não podemos dizer o mesmo a respeito do homem. Por não haver ainda desenvolvido esse senso, nem sempre o que ele constrói tem beleza. Basta olhar certos aspectos da sociedade para perceber isso. Eis por que aqui se trabalha muito para o desenvolvimento desse conhecimento, que é colocado como fundamental para a espiritualização do ser.

Nos mundos superiores, tudo é deliciosamente belo, em seus mínimos detalhes. É riqueza e beleza.

A fartura, a beleza, trazem a harmonia. Foi visitando um desses planos, onde nos é permitido ir de vez em quando para estímulo e desenvolvimento, que comecei realmente a entender por que a beleza é fundamental.

Não a beleza convencional, mas a beleza real, as linhas harmoniosas que fazem o equilíbrio, os traços essenciais que preservam e criam espaços comunitários autossuficientes e prósperos. É curioso perceber lá que a beleza guarda a sabedoria da utilidade, e a disciplina facilita a vida, alegre e ordenada. Nesses lugares, não existe tristeza. É contagiante.

Confesso que ao chegar lá, como um moleque endiabrado que pela primeira vez frequenta a alta sociedade, tratei de prestar muita atenção ao que dizia ou fazia, com medo de cometer uma gafe e causar algum transtorno. Fiquei mudo. Mas meu coração cantava de alegria e eu pensava:

— Este é o lugar com o qual tenho sonhado toda a minha vida!

Que maravilha! Seja o que for que eu olhasse, pessoas, coisas, lugares, tudo era lindo. Era um mundo encantado onde eu adoraria viver para sempre e carregar para lá todas as pessoas. Ah! Se vocês pudessem estar lá, pelo menos durante alguns minutos!

Você sabia que cultivar a beleza, acreditar nela, percebê-la, acaba por mudar sua aparência física e atrair para você o que é bom?

— Eu sou feio, meus traços são grosseiros. Nasci assim, com este rosto, e não vou mudar só por cultivar o belo. Ao contrário. Perceber o belo aumenta minha feiura.

Você pensa assim? Você sempre se compara com os outros? Saiba que a comparação é um hábito doloroso. Você tem alguns modelos, que considera perfeitos e, lógico, muito diferentes de você. Claro que vai perder sempre. Não é disso que eu falo. Você não precisa comparar-se com nada nem com ninguém.

A natureza trabalha com o belo. Nós fomos feitos pela natureza. É fácil compreender por que temos beleza. Sim. Todas as pessoas têm beleza. A alma é a essência divina dentro de cada um. Nosso trabalho é perceber onde ela está. Cultivando-a, ela aparecerá e dessa forma transformará nossa vida.

A beleza não está nos traços do rosto mas na luz que cada um tem. Há pessoas consideradas feias pelos padrões sociais, mas encantadoras pelo charme, pela classe, pela lucidez. Aprendendo a enxergar o belo, desenvolvemos o respeito pelas coisas e, consequentemente, o capricho, o gosto, o prazer passarão a fazer parte de nossas vidas.

Saber apreciar uma flor em um vaso, um adorno gracioso, um gesto de delicadeza, além de lhe dar prazer, vai atrair para você a harmonia e a elevação espirituais.

Assim como a doença, a dor, a miséria, a violência, a depressão, a revolta são frutos da incapacidade de perceber a beleza e a abundância da vida, educar-se para sentir, desenvolver a arte em todas as suas manifestações leva fatalmente ao oposto, atraindo a saúde, a abundância, a harmonia e a felicidade, sem precisar passar pelos difíceis caminhos do sofrimento.

Quando eu afirmo que evoluir sem dor é possível, e que estou aprendendo isso, é mesmo verdade. Já pensaram que beleza? Estar em um belo teatro, assistir a um maravilhoso concerto, com uma orquestra filarmônica ao vivo, um público atento, educado, e, ainda por cima, evoluindo prazerosamente? Não mais dores, sofrimentos, lutas, mas apenas arte, beleza, harmonia, luz.

Notando a diferença entre esse lindo lugar e o que vai pelo mundo, fiquei pensando: não seria esse o remédio que está faltando na Terra?

A pobreza tem sido responsabilizada pela violência e pelo triste espetáculo das crianças que vivem na rua, exploradas por marginais, abandonadas pela sociedade. Não creio que essa seja a verdadeira causa. Sempre houve pobres no mundo e por que só agora as coisas chegaram a esse ponto?

Não será a falta do senso de beleza? Você pode até se admirar e não concordar comigo, mas quer coisa mais feia e desarmônica do que uma favela? Alguns intelectuais, poetas e pintores podem até achá-la romântica, porque nunca viveram nela, mas eu não penso assim. É um lugar feio, malcheiroso, sem conforto, sem perspectiva nem beleza. O que veem todos os dias seus moradores? Já pensou como ela se modificaria se eles desenvolvessem a percepção do belo e da ordem?

Pois é. Pensem nisso, que é muito mais sério e importante do que a maioria das pessoas acham. Pelo exposto, é preciso valorizar a arte no mundo e desenvolver o senso do belo. Cultivar a beleza é contribuir para o desenvolvimento do espírito. Só um espírito desenvolvido tem condições de ser feliz.

Hoje sinto-me alegre por haver mostrado isso a vocês. Afinal, se cada um procurasse tornar tudo mais bonito, talvez nós até pudéssemos melhorar o padrão de vida na Terra. E não pense que nós não podemos fazer nada. Podemos sim. Melhorando nosso espaço e nossa vida, estaremos melhorando o mundo. Já pensaram nisso?

O fundamental

As pessoas têm muita curiosidade sobre a vida no mundo astral. É uma curiosidade misto de dúvida, a vontade de crer de um lado e o receio de embarcar em uma ilusão do outro. Apesar disso, diante de um bom vidente, um tarólogo, numerólogo, cartomante, etc., quem resiste a fazer uma perguntinha?

Na verdade, ao longo do tempo tem se falado muito de vida após a morte, e o assunto tornou-se comum, citado com naturalidade. Se alguns já aceitam essa realidade, outros só começam a pensar nela quando morre alguém conhecido ou um ente muito querido. Nessa hora, surge o questionamento. É a vontade de manter a qualquer preço a chama da esperança e de não sofrer a dor do "nunca mais".

No fundo, no fundo, dá para perceber que aquele que nunca se interessou por esse tema, embora se diga descrente, guarda dentro de si a certeza da eternidade. Porque ela está lá, no inconsciente, em forma de experiência já vivenciada muitas vezes.

Por que então não assumimos logo essa certeza? Por que quando estamos no mundo temos tanta dificuldade em aceitar que a vida continua depois da morte e estamos sempre querendo "provas"?

Tenho pensado muito nisso, assistindo ao desespero dos que perderam pessoas queridas. A onda de violência que assola o mundo, onde tantos morrem de forma trágica, sofrem doenças terríveis ou vivem na miséria, crucifica na dor e até na revolta os descrentes, mas ao mesmo tempo os empurra a que pensem e repensem no significado da vida e da morte, procurando novos caminhos.

Muitos apelos desesperados nos chegam, os pedidos de socorro, de ajuda, se multiplicam sem que possamos fazer muito. Se como eu disse há muita curiosidade sobre a vida astral, há muita fantasia e pouco estudo produtivo. As pessoas recorrem aos médiuns ou aos espíritos como quem vai a uma cartomante, entre a dúvida e a curiosidade, tentando que eles lhes provem alguma coisa para poderem acreditar. Que lhes deem uma muleta para pendurar-se.

Acham que estou sendo duro? Mas é a verdade. Raros são os que nos buscam interessados em aprender e progredir. Pretendem favores, desejam cultivar facilidades, querem "usar" os espíritos. Acham que nós nos prestaríamos a isso? Claro que não. Não obtendo o que pretendiam, muitos revelam sua revolta, voltando-se contra nós, negando nossa existência, pensando com isso nos desafiar a que mostremos nosso poder.

Que pobreza! A descrença desvitaliza a alma, limita sua capacidade de percepção, aumenta o desconforto. Quanto a nós, embora lamentemos, continuaremos a ser como somos, sem que isso nos afete em nada.

Condicionar a fé é empobrecê-la, limitá-la. Querer que a espiritualidade entre nas estreitas regras do mundo, para poder manipulá-la, é até ingenuidade.

Estou escrevendo isso porque, apesar de tudo, eu gostaria que as pessoas entendessem como as coisas funcionam, não só na Terra mas também aqui, no astral. Embora algumas condições sejam diferentes, tudo é energia e essas diferenças só existem no volume de condensação.

As leis universais funcionam igualmente em todo lugar e aprender como isso acontece pode facilitar nossa vida e nos poupar muito sofrimento.

Eu não disse que estou aprendendo a evoluir sem dor? Pois é. É sobre isso mesmo que estou falando. Então o problema de sofrimento humano é de educação? Claro que é. E, falando de educação, não estou falando de ilustração, nem de ser bem comportado, o que na Terra significaria obedecer às regras sociais. Não é nada disso. Eu estou falando de conhecimento. De observar, de experimentar e saber como cada coisa funciona. No que dá certo, há um resultado que nos agrada e nos causa bem-estar, nos indicando por onde deveremos ir. Quanto ao que deu errado, é só não repetir e pronto. Eu estou falando de felicidade.

Aí vocês vão dizer:

— Quem pode falar em felicidade quando perdeu um ente querido?

Quando você já programou a desgraça em sua vida, o que pode esperar? Eu estou falando da profilaxia. De evitar que as coisas cheguem ao que não desejamos.

— Você pretende dizer que poderia evitar as tragédias do mundo?

Eu afirmo que isso é possível! Dito assim parece utopia, mas eu sei que tanto é possível que um dia isso acontecerá de verdade. O que eu gostaria, muito mesmo, era de evitar o volume espantoso de dor e sofrimento, o tempo enorme que as pessoas consomem para conseguir um resultado que poderiam obter em menos tempo e sem dor.

A fórmula é fácil. Hoje já se sabe que o subconsciente é como um computador. Nossos pensamentos, atitudes e crenças o programam. Ele não tem nenhum senso de avaliação, só a função de materializar nossas criações mentais. Por essa razão cada um é totalmente responsável pela vida que tem. Quando muda suas crenças, a mudança vai se refletir em sua vida. Percebem que imenso poder cada pessoa tem? Dá para descobrir por que, apesar de querermos ajudar a uma pessoa, dificilmente o conseguimos? Ela só vai mudar quando quiser fazer isso. Quando achar que é bom para ela.

Quem não gostaria de ser feliz? Quem não sonha em viver na abundância, com saúde e alegria? Quem não gostaria de banir a dor para sempre? Até o marginal mais empedernido, o revoltado mais violento, o verdugo mais cruel, responderiam que sim a essas perguntas.

É isso o que todos querem, só que eles ignoram como chegar a esse resultado. Seguem por caminhos equivocados, iludidos, plantando violência e colhendo dor. A educação com a qual tenho sonhado é a de poder levar a realidade astral a todas as pessoas sofredoras, iludidas. Ela é muito diferente daquilo que a maioria pensa.

O mundo astral, a vida espiritual não são meras suposições de alguns visionários. As leis universais, embora não estejam escritas, funcionam o tempo todo, perfeitas, seguras e reais. É por isso que não desisto e continuo escrevendo para vocês.

Podem imaginar como seria o mundo se todos programassem seu computador mental para o bem? Se todos só acreditassem na saúde, na bondade, na abundância, na espiritualidade? Mundos assim já existem no astral, e eu até já estive em um. Que maravilha! Tudo fácil, bom, bonito e agradável. Só progresso e luz.

Estou entusiasmado. Sabem por quê? Porque sei que o mundo terreno já está maduro para essa conquista. Foi o que disseram nossos mentores espirituais. Que tal estudarmos o assunto e fazermos um movimento de reeducação do subconsciente? Todos os centros espíritas estão sendo convidados a desenvolver esse trabalho. Enquanto procuramos atender os desencarnados, os médiuns da Terra deverão atender a educação das pessoas, no desenvolvimento interior.

Não é uma maravilha? Vamos estudar o assunto, arregaçar as mangas e trabalhar. Todos podemos, basta querer. Não concordam comigo?

O autocontrole

Depois de uma palestra sobre a necessidade de controlar o pensamento, meu amigo Nestor estava inconformado. Eu já disse a vocês que, aqui, todos nós, os fantasmas desencarnados, estamos nos preparando para a reencarnação. Mesmo não sabendo quando mergulharemos novamente no oceano tempestuoso do mundo terreno, nós nos preocupamos em aprender, porquanto uma reencarnação será sempre uma sabatina sobre o que realmente já assimilamos. Uma avaliação para verificar se já estamos preparados para seguir adiante. Quando retornamos de uma reencarnação é que sentimos como nos saímos. Nessa hora, o quadro de nossas conquistas aparece claro e definido.

Se nas escolas do mundo há o professor que vai avaliar nosso desempenho, nos apoiando e estimulando a prosseguir, aqui somos nós mesmos que devemos avaliar, escolher o próximo passo. Nos oferecem as possibilidades, representadas por nossas necessidades, e somos nós que decidimos como faremos isso. Imaginaram que responsabilidade? Se sair errado, nem sequer poderemos dividir a culpa com os outros.

Por isso os cursos de autoconhecimento são tão conceituados por aqui e muito frequentados. Os especialistas do comportamento são sempre muito procurados e a terapia é uma constante. É fascinante aprender como fazer as coisas. Encontrar o caminho adequado é a chave para a evolução sem dor. Claro. A dor é sempre uma resposta desagradável, e mostra que não escolhemos o caminho mais fácil. Apesar de ela nos fortalecer, preferiríamos evitá-la. Quando encontramos a chave essencial e aprendemos como fazer, tudo dá certo. Aliás, eu já disse a vocês que o sofrimento não é a única forma de evolução. Existem outras, menos trabalhosas. Basta aprender como fazer isso.

Perceberam por que todo mundo por aqui vem frequentando os cursos de autoajuda? Isso mesmo. Se vocês estivessem aqui, não fariam o mesmo? Apesar de que sempre é tempo de começar, e é isso que estou tentando lhes dizer desde que comecei a escrever para vocês. Se desejarem fazer isso, seus guias espirituais com satisfação procurarão fazer "chegar a suas mãos" todas as informações que precisarem. Experimentem e verão. Eu até acho que ficarão muito felizes porquanto com isso se pouparão de muito trabalho. Já pensou como eles se esforçam para tentar "protegê-los"? Os pais ficam felizes quando seus filhos crescem e não precisam mais vigiá-los vinte e quatro horas por dia a fim de evitar que se machuquem.

Pois é. Você acha que está crescido e não dá mais trabalho a seu guia espiritual? Se isso fosse verdade, você seria uma pessoa feliz, com muita saúde, dinheiro e amor. É esse seu caso? Se for, parabéns. Porém, se sua vida está um caos e nada dá certo, pode imaginar o trabalho de seu protetor? Você pode até achar que sua vida está assim justamente porque ele não está aí fazendo seu papel, mas eu garanto que está enganado. Ele está, sim. Triste, cansado, desanimado, tentando aconselhá-lo, sem conseguir ser ouvido. Já pensou a alegria dele se você começar a crescer? A assumir a responsabilidade por sua vida? A tentar conhecer como conseguiu transformá-la no que é? Que ideias e crenças você cultiva que o impulsionam a agir de forma tão inadequada?

Eu não estou aqui para criticar ninguém e longe de mim a ideia de julgá-lo. Desejo apenas que compreenda que se sua vida está ruim, se você está colhendo sofrimentos, se a dor é sempre sua companheira, algo deve estar errado. Nós não fomos criados para o sofrimento. Deus nos deu um destino bom. Tanto que alguns que já descobriram isso vivem melhor. Eu queria que percebesse que se mudar sua forma de ver, as ideias e conceitos que estão gerando seu comportamento, sua vida mudará. Não acredita? Experimente e verá.

Por isso estamos nos esforçando para crescer um pouco mais. Para desenvolver nossa consciência e o consenso de realidade a fim de agirmos com mais eficiência. Sabemos que, se fizermos isso, derrotaremos de vez o sofrimento. Já pensaram que maravilha?

Viver muitos anos na Terra com saúde e bem-estar, em uma sociedade harmoniosa, conviver com pessoas educadas, saudáveis e felizes como nós, desenvolver a beleza, cultivar as artes, compreender a natureza... Acham que estou sonhando? Que esse mundo nunca será assim? Cuidado, porque com essa crença está contribuindo para que tudo continue como está, principalmente em sua vida. Eu afirmo que é possível.

Nestor sabe de tudo isso e concorda. Ele já tem data marcada para começar os preparativos para sua reencarnação. Vendo-o agitado ao sairmos da palestra perguntei:

— Não gostou da palestra de hoje?

Ele meneou a cabeça interdito:

— Não é bem assim como eles dizem. Ontem fui a um terapeuta que me disse que preciso liberar meus sentimentos, para que minha alma possa expandir-se. Que eu ando bloqueando o que sinto. Hoje, ouvi justamente o contrário. Se não aprendermos a controlar nossos pensamentos, jamais encontraremos o equilíbrio. Não lhe parece um contrassenso?

Pegou-me desprevenido.

— Nosso professor goza de alto conceito com nossos maiores. Possui vasto conhecimento. Tem certeza de que entendeu o que ele disse?

— Claro. Você não?

— Entendi e penso que ele está certo. Já reparou como divagamos constantemente? Sem falar das energias que captamos do ambiente. Entendo que seja necessário estarmos atentos a fim de não nos tornarmos robôs das ideias dos outros.

— Quer dizer que concorda? Nós precisamos mesmo aprender a controlar as ideias?

— Concordo.

— Então não é para liberar os sentimentos, como disse o terapeuta. E sim para controlá-los.

Finalmente entendi o que ele queria dizer. Sorri com tranquilidade e respondi.

— Você está falando de duas coisas diferentes. Não é para controlar o que você sente. É para liberar seus sentimentos, sua alma. Fazendo isso estará alimentando a intuição, deixando sua essência espiritual vir à tona. Agora, os pensamentos não brotam da alma, mas da cabeça, do raciocínio, da cabeça dos outros, e circulam à nossa volta e os captamos com facilidade. A diferença está no escolher. Quando optar, nunca vá pelo racional, pelo que vai pela sua cabeça. Ela é quem precisa de controle. Na dúvida, deixe sempre falar o coração.

Nestor sorriu confiante.

— Não havia pensado nisso. Não é que ambos têm razão?

Tudo sempre tem dois lados. Sempre será preciso contemplar os dois e discernir. Não é verdade?

A recriminação

Minha amiga Helena estava inconformada. Esperara durante dois anos pela oportunidade da reencarnação e agora, quando se julgava preparada, com todas as chances de uma nova vida de sucesso, não obteve permissão. Por causa disso mergulhou em funda depressão.

Havíamos frequentado um curso juntos, e nos tornamos grandes amigos. Eu a admirava. Arguta, inteligente, esforçada, otimista, granjeou desde logo minha amizade. Costumávamos conversar sobre nossas vidas, nossos sonhos para o futuro. Eu sabia que ela esperava muito dessa próxima reencarnação e que essa impossibilidade jogava por terra seus sonhos mais caros.

Em sua última encarnação na Terra, amara profundamente e fora correspondida. Casaram-se e tiveram três filhos. Classe média alta, vida social intensa, tudo parecia ir muito bem. Até que Helena começou a ser assediada por um amigo do marido, que se dizia apaixonado. A princípio Helena não lhe deu ouvidos. Como ele insistisse, com o tempo ela ficou envaidecida e começou a prestar atenção nele. Aos poucos foi se envolvendo e acabou por sentir uma louca paixão por ele. Era como uma sede que, quanto mais saciada, mais aumentava.

Helena perdeu a alegria, a discrição, o bom senso, estabelecendo uma tragédia de dolorosas consequências: seu marido deu três tiros no falso amigo e, tendo sido absolvido no julgamento, separou-se dela, tirando-lhe os filhos, que ficaram sobre a tutela dos avós paternos. Quando tudo se consumou, a paixão de Helena havia acabado e ela, desesperada, cheia de remorsos, mergulhou na culpa, perdendo o ânimo de seguir adiante. Reconheceu o quanto amava o marido e os filhos e não se conformava em ter agido tão levianamente.

Por causa disso, fechou seus sentimentos ao amor e durante muitos anos foi incapaz de amar. Teve duas encarnações na Terra, durante as quais se puniu com a virgindade. Com o tempo, no astral, houve o reencontro com a antiga família. Osvaldo, seu ex-marido, havia se tornado desconfiado e arredio. Nunca mais confiara em outra mulher. A antiga ferida ainda doía e o amor que sentira por Helena ainda estava lá, sofrido, amargurado. Começaram a encontrar-se, e as queixas e explicações de parte a parte foram lavando as feridas, e um dia reconheceram que, apesar de tudo, ainda se amavam. Passaram a viver juntos, e os antigos filhos os visitavam. Depois de tantos anos, finalmente as coisas haviam se arranjado e eles se sentiam felizes outra vez.

Apesar disso, eles sabiam que um dia teriam que reencarnar novamente e sonhavam continuar juntos. Claro que a situação seria diferente. Muitas coisas haviam se modificado. Não teriam os mesmos filhos, uma vez que durante aqueles anos haviam assumido outros compromissos. Mas queriam ficar juntos. Amavam-se e não conseguiriam viver com outras pessoas.

Para conseguir o que pretendiam, pediram uma reunião com nossos maiores. Feita a solicitação, o assistente espiritual encarregado mostrou-se favorável ao pedido:

— Vejo que estão bem agora. Acredito que consigam o que pretendem. Há muito esperávamos por essa decisão e temos tudo preparado. Osvaldo reencarnará dentro de algumas semanas e você Helena, dois anos depois.

— Dois anos? Por que não poderei reencarnar ao mesmo tempo que ele? Quanto mais demorar, mais viveremos separados. Gostaria de abreviar esse tempo.

— Impossível. Precisamos de sua cooperação durante esse tempo. Em tudo isso não os ouvi mencionar Renato.

— O que passou, passou — disse Osvaldo. — Quero esquecer.

— Eu também — disse Helena. — Desejo que ele esteja feliz e encontre também a felicidade. Nós já o perdoamos.

— Não é o suficiente. Vocês ligaram-se uns aos outros e, se reencarnarem juntos, ele fatalmente será atraído.

— Como assim? — disse Osvaldo assustado.

— Nascerá como filho de vocês.

— Não é possível! — disse Helena. — Não compreende que jamais nos entenderíamos? Que por causa dele destruímos nossas vidas e nos atormentamos até agora?

— Você não perdoou?

— Perdoei. Mas, depois do que aconteceu, não gostaria de conviver com ele de novo. Nunca mais nos encontramos. Nem sei como ele está agora.

— Melhor. Antes julgava-se injustiçado. Queria encontrá-la a todo custo. Só acalmava um pouco quando reencarnado. Mas, mesmo durante o sono, andava à sua procura. Deu-nos muito trabalho contê-lo.

— Não posso concordar em recebê-lo em nossa casa. Depois de tudo... — considerou Osvaldo transtornado.

— Nesse caso, não conseguirão ficar juntos na próxima encarnação. Pensem bem e percebam que só o amor filial poderá apagar o desentendimento entre vocês.

A partir daí, eles foram se acostumando com a ideia. Osvaldo precisava reencarnar e seu tempo estava vencendo. Ninguém poderia anular a força das coisas. Resolveram concordar. Foi feita uma reunião entre os três. Apesar da repulsa que sentia por Osvaldo, Renato concordou, uma vez que ficar ao lado de Helena era tudo quanto ele desejava. Osvaldo reencarnou e Helena ficou, à espera do próximo reencarne.

Foi durante esse tempo que nos conhecemos e ela sempre falava de suas esperanças e sonhos. A recusa inesperada a surpreendera. Fui visitá-la. Notei logo sua tristeza. Sentados na varanda florida de sua casa, tentei levantar-lhe o ânimo:

— Não fique triste. Nossos maiores sempre agem pelo melhor.

— Não me conformo. Depois de tantos anos de espera! Osvaldo está lá. Foi na certeza de que eu o encontraria. Como ficaremos?

— Não será mera questão de tempo?

Ela sacudiu a cabeça:

— Não. Eles foram categóricos. Não vou reencarnar por agora. Eles haviam concordado. Teriam nos enganado para que Osvaldo concordasse?

— Você não está bem! Sabe que eles falam a verdade mesmo que seja dolorosa. Devem ter um motivo justo.

— Não têm. Você sabe de minha rejeição por Renato. Durante esses dois anos, seguindo orientação deles, tenho tentado conviver amigavelmente com ele. Não tem sido fácil. Ele continua fixado em mim. Acredita que me ama e se desespera quando tento convencê-lo de que nosso afeto deve ser só filial. Há momentos em que preferia ficar longe dele. Mas corajosamente, pensando em nosso futuro, enfrento a situação. Tenho contado os dias que faltavam para que esses dois anos de sofrimento acabassem. Agora, sinto que foi tudo em vão. A partir de hoje, me recuso a ver Renato. Ele que se arranje. Não faço mais nada. Estou cansada.

Durante algum tempo, tentei erguer-lhe o ânimo sem conseguir nada. Saí entristecido e fui conversar com meu amigo Jaime para saber se havia algo que eu pudesse fazer. Finalizei:

— Helena é corajosa e dedicada. Gostaria de poder fazer alguma coisa em seu favor.

— Não pode.

— Por que ela não obteve permissão para reencarnar?

— Porque ainda não está preparada.

— Não? Depois de tanto esforço?

— É verdade. São os segredos do coração. Apesar do que ela diz, ainda se perturba muito com a presença de Renato. Seu coração balança entre ele e Osvaldo, e se a cabeça racionaliza e escolhe o ex-marido, o coração pende muito por Renato.

— Mas ele será seu filho. Esse sentimento não se modificará através dessa experiência?

— É verdade. Isso tem chance de ocorrer. Não é o que a impede de reencarnar. Por tudo que ela já fez, pelo progresso que alcançou, Helena faz jus a uma vida melhor. Ela poderia reencarnar para desenvolver outras necessidades de seu espírito e deixar esse caso para mais tarde, quando já houvesse superado todo o ressentimento e a recriminação.

— Recriminação?

— Sim. Apesar do que parece, ela ainda não venceu a recriminação e vive constantemente se cobrando pelo passado e a

Osvaldo por haver tirado a vida de Renato. Se ela renascer sem vencer esse problema, tendo que suportar a vida entre os dois, fará disso um inferno.

— Mas essa não é uma necessidade dela? Um dia não terá que vencer isso?

— Sim. Mas tudo será mais fácil quando ela vencer a culpa. Porque, apesar de tudo, ela continua lá, atrapalhando tudo.

Balancei a cabeça pensativo. Por que multiplicamos tanto o peso de nossos enganos, cultivando a culpa? Até quando ela nos derrotará?

Saí pensativo. Apesar de tudo, vou tentar ajudá-la. Sei que, passada essa crise, ela vai reagir. Afinal, o tempo cura todas as feridas e amigo é para essas coisas. Você não acha?

Curioso resgate

Em meio à escuridão da noite nós caminhávamos em silêncio. Nossa missão era resgatar três pessoas que deixaram a Terra inesperadamente.

Não que nossas fichas não sejam organizadas. Ao contrário, temos registros minuciosos mencionando todas as probabilidades dos casos, com datas precisas e tempo determinado para acontecer.

Mas, para minha surpresa, havíamos sido convocados por um chamado inesperado.

Como? Nossos arquivos não estavam tão bem-feitos quanto pensávamos? Havia possibilidade de acontecimentos não cogitados por nossos maiores?

Enquanto eu, Jaime e Ernesto nos dirigíamos ao local indicado, pensávamos a mesma coisa, mas ninguém se sentia encorajado a manifestar-se.

É que estávamos tão habituados a confiar na organização encarregada de cuidar das reencarnações e controlar todos os dados que preferíamos não emitir opiniões precipitadas.

Chegando em um bairro da periferia de São Paulo, procuramos o endereço.

Não nos foi difícil encontrá-lo, uma vez que o local estava tumultuado e havia muitas pessoas, apesar do adiantado da hora. Carros da polícia, jornalistas à cata de matéria, curiosos.

Na calçada, um corpo coberto por jornais que a polícia cercara proibindo que tocassem.

Dentro de casa, duas mulheres chorando inconformadas, assustadas, ainda em estado de choque.

Olhamo-nos indecisos. Estávamos ali para buscar três pessoas e havia apenas um morto. Apressamo-nos a conferir o endereço. Era aquele mesmo. Teria havido um engano?

Jaime nos tranquilizou:

— Esperemos o que vai acontecer.

— O espírito que habitava esse corpo já foi retirado? — tornei admirado.

— Já.

— Nesse caso...

Jaime me interrompeu:

— O momento é de expectativa. Vamos aguardar.

Fiz o possível para dominar a curiosidade. Reconheço que há momentos em que sinto dificuldade para controlá-la.

Aquele caso parecia-me algo comum nos dias de hoje. Um homem fora assassinado por marginais ao chegar em casa.

— Vamos entrar — disse Jaime.

Ele entrou e o acompanhamos. Abraçadas uma à outra, as duas choravam.

— Bem que eu pedi a ele que não saísse hoje. Mas sabe como ele era, quando queria uma coisa não desistia. Eu estava com um pressentimento ruim.

— Ele nunca nos quis ouvir. Desde criança, como mãe eu tentei aconselhá-lo, mas qual, sempre fez o que lhe deu na telha. O resultado está aí.

— E agora, o que será de nós sem ele?

Elas continuavam se lastimando sem perceber nossa presença. Um policial entrou dizendo:

— Sinto muito, mas vocês precisam nos acompanhar até a delegacia para prestar declarações.

— Nós já contamos tudo que sabemos — disse a mais velha.

— A polícia técnica já acabou e recolhemos o corpo. Não conseguimos nenhuma testemunha. Não havia ninguém na rua quando aconteceu. Vocês são os únicos parentes, precisam ir conosco até a delegacia.

Depois de alguma resistência, as duas concordaram. Elas saíram e nós ficamos.

— Vamos evitar pensamentos dispersivos e nos mantermos ligados com a luz — pediu Jaime. — Vamos arejar um pouco este ambiente.

Obedeci.

De fato, a atmosfera daquela casa era pesada e desagradável.

Durante certo tempo nos ocupamos em envolver aquele ambiente de luz.

Em certo momento entrou na casa um homem e reconheci. Era o dono da casa. Trazia ainda na cabeça a marca da pancada que o abatera e no peito a ferida da faca que o vitimara. Porém não demonstrava estar sofrendo nem ter conhecimento de sua situação.

Entrou pé-ante-pé como se não quisesse fazer ruído, olhando de um lado e de outro para certificar-se de que não estava sendo visto.

Claro que não estava nos vendo.

Ah! o prazer de ser invisível! Se vocês pudessem saber como isso é emocionante! Por outro lado fico pensando se não haverá junto a nós também pessoas que não podemos ver, a nos observar constantemente. Esse pensamento me incomoda um pouco, mesmo sabendo que aqui no astral não dá para ocultar nada de ninguém.

Ele entrou, foi até a cozinha e remexeu no gás do fogão. Não sei como ele conseguiu isso, uma vez que não dispunha mais de um corpo de carne para atuar. Mas ele fez. Na hora não percebi bem o quê. Depois, dirigiu-se ao quarto e postou-se atrás da veneziana à espera.

Poucos minutos depois ouvimos um ruído. Alguém estava tentando entrar na casa forçando a janela. Esperamos.

Nosso homem escondeu-se atrás da porta do quarto que estava aberta.

— Entre, Paulo. Tudo limpo. Vamos lá. Depressa! — disse um depois de abrir a veneziana e saltar para dentro do quarto.

Logo outro vulto saltou para dentro e fechou a janela.

— Não vamos acender a luz, trouxe a lanterna?

— Trouxe. Vamos procurar. Tem que estar em algum lugar.

Os dois começaram a revirar tudo.

— Precisamos acabar antes que elas voltem.

Depois de muito procurar, arrastaram a cama e perceberam alguns tijolos soltos na parede. Imediatamente os tiraram, encontrando um envelope grande e grosso.

— Deve ser esse!

Enquanto um segurava a lanterna, o outro abria o envelope. Sorriram satisfeitos. Enquanto eles davam a busca o espírito do morto saíra sorrateiramente de trás da porta, esgueirando-se para a cozinha, e continuou mexendo no fogão. O que estaria fazendo?

Antes que eu pudesse dizer alguma coisa, Jaime disse rápido:

— Vamos sair deste lugar já e esperar do outro lado da rua. Depressa!

Puxou-nos pelo braço e imediatamente nos afastamos do local. Foi no momento exato. Ouvimos um estrondo ensurdecedor e a pequena casa foi pelos ares.

Gritos, correrias, confusão, corpo de bombeiros tentando impedir que o fogo que sucedera à explosão destruísse as casas ao redor.

Eu ainda não me refizera do susto quando vi o espírito do dono da casa trazendo pelo braço os espíritos dos outros dois que haviam invadido sua casa. Eles estavam em estado de choque, sem entender ainda o que havia lhes acontecido.

Nosso homem dizia satisfeito:

— Vocês quiseram me passar a perna, mas eu sou mais esperto. Quando vocês iam eu já ia voltando. Só porque vocês são ricos, estudados, cheios de poder, pensam que podem mandar em todo mundo e fazer o que querem? — ele ria irônico. — Pois comigo não. Agora vocês vão ver com quantos paus se faz uma canoa.

Jaime olhou-nos sério e disse:

— É agora. Vamos intervir.

Aproximamo-nos dele, que nos olhou assustado.

— Viemos buscá-lo, José.

— Quem são vocês? O que querem?

— Vimos tudo que você fez. Tem que vir conosco.

— São da polícia? — indagou ele assustado.

— Não. Queremos ajudá-lo.

— Não creio. Vocês não podem me prender. Eles mereciam o que lhes aconteceu.

— Vimos quando você preparou o botijão de gás e fez a casa explodir — tornou Jaime calmamente.

— Como pode ser? Não havia ninguém lá!

— Vamos embora. Eles também virão.

— Não é justo. Eles me assassinaram! — gritou ele.

Não é que ele sabia que estava morto e que fora assassinado? Ao que Jaime respondeu imperturbável:

— Não foram eles que o mataram.

— Eles mandaram aquele infeliz me matar. Sei que foram eles. Não queriam que eu mostrasse as fotos da irmã deles que andava com um homem casado.

— O que você não sabe é que eles nada tiveram a ver com o crime. Você foi morto mesmo por um marginal que o queria roubar. Eles souberam do crime e resolveram entrar em sua casa para procurar as fotos com medo de que a polícia as encontrasse e fizesse publicidade sobre o caso.

— Quer dizer que não foram eles?

— Não. Você se precipitou e acabou deixando sua mãe e sua mulher sem casa para morar.

Então, como se tivesse dado acordo de si, ele começou a chorar e a lamentar-se.

Nós havíamos cuidado dos outros dois, aplicando-lhes energias de relaxamento, fazendo-os adormecer, e não nos foi difícil levá-los para o lugar onde deveriam ficar.

Mil perguntas surgiam em minha mente sem encontrar resposta. Quando voltamos, Jaime olhou-me sorrindo:

— Os fatos de hoje deram voltas à sua cabeça. O que você quer perguntar?

— Tudo. O que aconteceu de verdade? Por que nosso pessoal não previu aqueles fatos? Como um espírito tão primitivo como aquele conseguiu fazer aquele gás explodir? A proteção dos outros dois não funcionou?

— Eu sabia que você estava curioso. Neco vivia de expedientes, explorando a credulidade e os problemas alheios. Casualmente descobriu o envolvimento de uma moça da sociedade com um político famoso. Fez a fotos, arranjou provas e tentou chantagear a família. Procurou os dois irmãos da moça, que concordaram em dar o dinheiro para que os pais não soubessem de nada. Neco bebeu um pouco e se abriu mais do que deveria com outro marginal, chegando a dizer quando deveria receber o dinheiro.

— Ele estava com o dinheiro quando foi morto? — indaguei.
— Não. Era para ser nesse dia, mas eles não conseguiram arranjar a quantia e pediram mais alguns dias. Isso o assassino não sabia. Pensou que ele estivesse com o dinheiro e fez o assalto. Porém não conseguiu o dinheiro. Os dois irmãos, quando ouviram a notícia pelo rádio, com medo resolveram procurar as fotos e as encontraram. Foram surpreendidos pela astúcia de Neco, que lhes armou a cilada, provocando a morte.
— Estou admirado. E a proteção deles? Por que permitiu que eles fossem atingidos? Eles não eram gente de bem? Afinal eles estavam sendo vítimas de Neco e não tiveram culpa de sua morte.
— A defesa deles não funcionou por causa da vida que eles levavam. Acreditavam que eram donos do poder e que o dinheiro podia lhes comprar tudo. Assim, faziam o que lhes dava na telha sem respeitar o direito dos outros. Invadiam o espaço alheio sem nenhuma consideração. Foi fácil portanto para Neco invadir o espaço deles.
— Se não fosse ele, poderia ter sido outro.
— Isso mesmo. Eles eram assassináveis. Entendeu agora?
— Entendi. Apesar de tudo, a moça e o político foram poupados. Ninguém vai descobrir nada. Sua reputação nesse episódio permanecerá intocada. Ele teria proteção especial?
Jaime sorriu ao responder:
— Apesar de não controlar seus impulsos amorosos e manter relações extraconjugais, ele realiza um bom trabalho no campo social, contribuindo para o progresso do país. Depois, sua esposa é mulher muito respeitada em nossos meios por sua bondade e lucidez. Na verdade, ela nunca será atingida pelo mal, já que sabe viver sempre no bem.
— Por que esses acontecimentos não estavam previstos em nossas fichas?
Jaime olhou-me e havia um brilho malicioso em seus olhos quando disse:
— Nossos fichários podem não estar completos por necessidade de sigilo mas pode ter certeza de que tudo está sob controle.

Saí dali pensando. Não é que tudo estava certo? Qualquer acontecimento, por mais extraordinário que possa nos parecer, tem uma causa justa, um fim determinado pela sabedoria da vida, que sabe manejar tudo com maestria. Sabendo disso, não seria uma boa ideia aprender a confiar?

Diferentes paisagens

Em campo aberto eu caminhava leve, olhando maravilhado o céu azul e sem nuvens, aspirando gostosamente o aroma delicado das flores do campo, que aqui e ali enfeitavam o verde do mato que se estendia ao redor de mim.

O sol brilhava e eu sentia na pele o calor de seus raios, o que me proporcionava gostosa sensação de bem-estar. Não fora a delicadeza rarefeita da brisa que me envolvia, o brilho delicado que notava nas flores, cujo perfume provocava em mim sensações profundas e prazerosas, eu acreditaria estar ainda vivendo na Terra. Mas não. Essa paisagem, muito parecida com as que visualizava no mundo, está localizada em uma cidade de outra dimensão.

Apesar de semelhante, ela difere das da Terra porque é muito mais atuante, mais viva. Aí, embora as paisagens sejam lindíssimas, permanecem indiferentes a nosso contato. Sua beleza para os encarnados é mais visual. Sua captação vai depender da sensibilidade de cada um. Só os que já desenvolveram certo senso se detêm para admirá-las e raros conseguem registrar suas energias sutis.

Aqui não. A brisa que circula é leve e transmite agradável sensação de bem-estar, de alegria e disposição. O brilho cintilante das cores, mesmo as mais suaves, transmite energia, vigor, motivação. Os perfumes penetram em nossa alma, despertando nela emoções gratificantes, como se uma mão delicada e suave estivesse tangendo magicamente as cordas de nossos sentimentos, elevando-os.

Por isso, estar neste lugar privilegiado é uma bênção maravilhosa e eu gostaria que vocês pudessem estar aqui comigo, usufruindo essa dádiva. Neste momento, sinto uma vontade enorme de contar toda a alegria que me banha o espírito, todo o prazer de viver que estou sentindo agora.

Vocês que me conhecem, que têm acompanhado minha trajetória, mesmo depois de morto, sabem que a alegria tem sido minha amiga predileta. Sempre acreditei que ela era a chave para todas as conquistas de nosso espírito. Hoje, depois de tanto tempo, de tantas andanças, posso dizer que estava absolutamente certo.

Foi ela quem me ajudou a vencer as dificuldades de um temperamento emocional e impetuoso cuja sensibilidade exacerbada muitas vezes me colocou em dificuldades, levando-me a dramatizar demais. Contudo, mesmo quando no auge de meus momentos dramáticos, eu me esforçava para encontrar a alegria, observando os fatos com humor e me negando a conservar por muito tempo a tristeza ou a depressão. Foi isso que me ajudou.

Acham que é difícil? Pode parecer, mas eu fiz. É que apesar de estar vivenciando problemas, e de dramatizá-los, meu lado crítico, bem-humorado, não deixava de funcionar. Era engraçado. Mesmo na maior tristeza, eu observava o lado engraçado e acabava por minimizar minha dor. Vocês já notaram como mesmo as situações mais dramáticas podem ser transformadas em comédia?

É dessa verve irreverente que os grandes humoristas se servem para criar suas anedotas. É que o povo gosta de rir da desgraça alheia. Como eu já disse uma vez, o cego, o surdo, o velório, a viuvez, o bêbado, o gago, o adultério são excelentes temas para o teatro de humor. Sempre dão resultado. As pessoas se identificam porque têm sempre um parente, um amigo, um conhecido que se encaixa nesses modelos.

Os personagens de minhas peças de teatro eram inspirados nas dificuldades de cada um, o que os tornava muito humanos e fáceis de serem entendidos. O melhor humor é aquele que mostra o óbvio, que todos conhecem mas ninguém tem coragem de apontar. Aí vocês podem dizer que eu era maledicente e não deveria estar agora usufruindo esse lugar delicioso onde estou passeando agora.

E se eu lhes dissesse que os conceitos do bem e do mal que ainda vigoram na Terra estão fora de moda aqui no astral e muito ultrapassados? Pois é. Para os que andam aí vigiando todo mundo, com o dedo em riste pregando o "certo ou errado", sinto dizer que vão se arrepender quando voltarem para cá.

Para os "donos da verdade", principalmente os que falam em nome da religião, a decepção será maior. Os critérios aqui são outros. As regras estabelecidas pelos homens são retrógradas e nada significam. Ou melhor, elas quando levadas a sério dificultam e limitam as pessoas, tornando-as julgamentosas e preconceituosas, impedindo-as de perceber os valores verdadeiros da alma.

A moral cósmica baseia-se nos valores eternos do espírito. Infelizmente, muitos desses valores estão invertidos na Terra, distorcidos e modificados pelo intelectualismo dos incompetentes. Aí a sociedade valoriza o intelectual; aqui se valoriza o espiritual. A grande diferença está nisso. Tornar-se espiritual é perceber em todas as coisas a essência. É passar por cima do que parece e perceber o que é. Quando eu escrevia minhas peças, não era isso o que eu fazia? Meus personagens não retratavam exatamente a verdade de cada um? Conduzindo-os de maneira bem-humorada eu não estava amenizando suas fraquezas? Não é que o humorista, mesmo salientando as deficiências humanas, está fazendo um bem?

É isso aí. O humor, a brincadeira, a alegria, servem para atenuar a tragédia. E para os que estranham que um homem de teatro como eu esteja hoje desfrutando as benesses desse lindo lugar, eu respondo que não houve protecionismo, não. Por aqui não existe o famoso "jeitinho". Não dá para esconder nem pensamento.

Agora, para os que desejam saber como eu consegui, confesso que a alegria e o bom humor ajudaram muito. Se quando eu vivia na Terra soubesse tudo quanto aprendi aqui, não teria sido tão dramático nem teria dado tantas voltas sem sair do lugar. Teria ido direto ao ponto: deixaria de lado a burocracia social e faria só o que eu achasse ser verdadeiro. Claro que eu poderia me enganar, já que estou consciente de uma parcela mínima da verdade, mas ainda assim eu garanto que, fazendo isso, teria vivido melhor e alcançado mais do que consegui até aqui.

Afinal, este lugar é delicioso! Não estou morando aqui, mas apenas passando umas férias. Acham que fantasma não tem esse direito? Enganam-se. O lazer é bastante conceituado aqui, principalmente para os que valorizam o trabalho. Isso eu sempre fiz. Não acham que faço bem?

O taxista

Eu tinha um amigo taxista, que fazia ponto à noite no largo da Carioca, do qual eu me servia para ir até o teatro quando no Recreio e o qual, para esperar-me à meia-noite na volta e levar-me para casa, muitas vezes deixava de pegar passageiros se eles não lhe dessem tempo de buscar-me.

Não que eu lhe pedisse esse obséquio ou que eu lhe pagasse mais por isso. É que nossos encontros eram tão agradáveis e o papo logo se estabelecia fácil e gostoso que eu até acredito que ele o faria mesmo que eu não lhe pagasse.

Pois é. Coisas que acontecem entre as pessoas quando têm afinidade.

Norberto era o tipo da pessoa que com o ar mais sério e circunspecto do mundo contava as histórias mais engraçadas que já ouvi.

Não sei se era seu jeito discreto de falar que não fazendo prever o desfecho de humor surpreendia no final ou se ele era tão sutil nos gestos e nas palavras que uma história contada por ele adquiria uma graça especial.

Era com prazer que eu o encontrava e, fosse qual fosse meu estado de espírito, acabava sempre alegre e revigorado. Se existem pessoas nutritivas, Norberto era uma delas.

Está certo que sou pessoa alegre a tal ponto que mesmo diante de certas tragédias do dia a dia não deixava de perceber o lado pitoresco e engraçado. Mas, ainda assim, eu vivia as emoções à flor da pele, um pouco mimado pela família, que sempre me fazia acreditar que eu era melhor e mais forte. Era prazeroso e eu acreditava sem perceber que ia ficando cada vez mais dramático, me tornando mais vulnerável aos obstáculos que a vida colocava em meu caminho.

Como?! Alguém se atreveu a me dizer não? Por que não consegui alguma coisa em que me empenhei tanto? Quem não passou por isso na vida? Quem não se sentiu frustrado por determinado dia não ter conseguido ser tão "maravilhoso" como gostaria?

Engraçado esse sentimento. Creio que isso acontece em todas as profissões e o sucesso é sempre esperado, mas para o artista ele pode vir a tornar-se insaciável. Alguma coisa dentro da gente deseja sempre mais. Está certo que você pode ter momentos de pico onde isso realmente acontece. Aquele minuto mágico em que você entra no clima certo, do jeito certo, na hora certa e pronto, revela algumas pinceladas de gênio. Mas depois não se pode estar o tempo todo nesse ápice e a frustração pode ocorrer.

Quem depois de experimentar a glória se conforma em voltar para dentro de seu casulo nas condições de um simples mortal? É difícil. Porém necessário. A vida trabalha dessa forma. E ela está certa em seus movimentos de inspiração e expiração, de absorver e dar, de manipular energias e criar.

Para dar é preciso ter e para ter é preciso absorver. Ninguém pode só dar sem se alimentar. Por causa disso, dias havia em que eu não estava em meus melhores momentos. Quando estava de mau humor, me recusava a admitir, e se alguém mencionasse o assunto, eu ainda ficava pior.

Norberto, com seu ar sério e discreto, começava a falar e, sem que eu percebesse como, logo estava rindo descontraído e de bem com a vida novamente. E, agora posso confessar, naqueles momentos em que me recusava a admitir que eu "também" perdia a esportiva, no fundo, no fundo eu sabia que não estava bem. Porque a queixa ainda que só em pensamento, a sensação de valer menos, de estar de mal com a vida, não estar desfrutando o melhor, nos faz sentir um peso, uma opressão no peito, ainda que nos recusemos a ver, permanece lá a nos incomodar. Nos faz ver a vida através de óculos distorcidos, acabando com o prazer de viver.

Já o bom humor, a descontração, a alegria provocam prazer e podem transformar pequenas coisas em acontecimentos maravilhosos de felicidade e bem-estar.

É por isso que Norberto era nutritivo. Ele possuía esse dom de transformar as coisas. Aprendi muito com ele, suas tiradas inesperadas, seu senso de humor. Eu gostava tanto dele que certa vez cheguei a convidá-lo para trabalhar comigo. Mas ele não aceitou. Respondeu-me simplesmente:

— Obrigado, doutor. Mas eu não sei fazer outra coisa. Gosto de ser livre. Nem meus pais, nem minha mulher, nem os filhos conseguiram me segurar. Tenho alma de cigano, gosto de andar. O doutor não gostaria de me descalibrar.

— Descalibrar?!!

— Ficar parado. Não carregar a bateria. Depois, horários e outros troços são bons para relógio e máquinas, que, como não têm pernas, para andar precisam de outros movimentos.

— Quer dizer que recusa?

— O senhor não me conhece. Sou perigoso. Só faço aquilo que gosto.

— Às vezes é preciso aprender a fazer o que não gosta.

— Aí é que está. Eu não faço. E olhe que a família tentou, mas eu sou mesmo um "cuca fresca".

— Nem tanto. Trabalha duro e sustenta a família, que eu sei.

— Sem essa de sustentar a família. Esse é um peso que eu não carrego. Ao contrário. A família é que me sustenta.

— Não acredito. Você não falta um dia ao trabalho.

— Aí é que se engana. Eu não trabalho. Passeio de carro o dia inteiro. As pessoas ainda me pagam por isso. Divirto-me conhecendo-as, muitas vezes participando de suas vidas nos momentos mais importantes. Nos casamentos, nas festas, nos grandes acontecimentos e até nos enterros. Divirto-me com os casos que presencio.

Sorrindo perguntei:

— E a família?

— Bem. Todo o dinheiro que ganho dou para minha mulher. Sabe como é, ela controla tudo. Esse negócio de contas é atraso de vida.

— Então você sustenta sua família — ajuntei vitorioso.

— Ao contrário. Eles é que me sustentam. Cuidam de mim, alegram minha vida, tornam-me feliz. Afinal, eu os amo tanto que dar esse amor sempre me alimenta.

A essa altura eu já me sentia feliz e de bem com a vida. Não é que ele era um filósofo nato? Sem grande cultura ou complicações, olhava a vida com tanta beleza e naturalidade que sua presença fazia um bem enorme.

Foi com grande alegria que uma tarde eu o encontrei por aqui em uma reunião de amigos. Abraçamo-nos com prazer. Logo iniciamos um diálogo agradável onde eu resumi alguns detalhes de minha vida como fantasma, ao fim dos quais ele considerou:

— Quando me lembrava de você, de nossos encontros, sempre me perguntava o que estaria fazendo. Um dia me deram um livro, o *Bate-papo com o Além*, dizendo que era de sua autoria.

— Aí você descobriu.

— Sabe como é. Fiquei na dúvida. Afinal na Terra a gente carrega muitas dúvidas.

— Não reconheceu o estilo?

— Para dizer a verdade, havia até algumas frases que você costumava dizer, mas...

— Mas?

— Eu acreditei. Mas sabe como é... foi você mesmo quem escreveu?

— Fui sim. E no próximo livro vou falar de você.

— Vai mesmo? Então diga que eu estava certo. Fiz o que eu sabia e cheguei muito bem.

— Posso ver. Você está ótimo.

— É verdade. Diga a Nilzinha que não se preocupe. Ela tem um medo danado de bater as botas. Diga que eu a estarei esperando e que aqui a vida é muito boa.

Sorri satisfeito. Ele continuava o mesmo. A vida para ele sempre seria boa, sabem por quê? Porque ele só via o bem. Afinal não é só isso que fica?

Você já experimentou olhar você, sua vida, as coisas, as pessoas vendo só o bem?

Assim como Norberto, garanto que encontrará a receita da felicidade. Vamos experimentar?

Contracenando

Apesar do tempo decorrido, todas as vezes que eu venho à Terra sinto saudade! Uma saudade gostosa dos momentos agradáveis que vivi.

Tenho visto aqui muitos amigos que fazem de tudo para não sentir saudade a pretexto de não sofrer. Comigo não acontece isso. Pensando bem, reconheço que tive bons momentos, o que talvez não tenha acontecido à maioria deles.

Sabem por quê? Porque sempre estive muito presente em cada acontecimento de minha vida e mergulhei profundamente em cada emoção.

Se é verdade que fazendo isso posso ter exagerado um pouco certos acontecimentos desagradáveis, por outro lado bebi até a última gota o vinho do prazer de tudo que me aconteceu de bom. Depois, como procuro sempre esquecer o mal e ficar com o que é bom, consegui guardar apenas os bons momentos. Por isso, sentir saudade é muito agradável para mim.

Também, como esquecer os aplausos em cena aberta, o contato mágico com as plateias, o misterioso carisma do microfone e o charme da telinha de tv? Aí vocês vão dizer que estou sendo vaidoso. E que isso não fica bem em um fantasma como eu.

Aos olhos das regras sociais do mundo isso pode parecer verdadeiro. Eu porém há muito sei que não é.

Há na sociedade terrena muita confusão entre vaidade, amor próprio, dignidade. Muitos não sabem diferenciar onde começa um e acaba outro.

Aqui, nós temos uma maneira simples de descobrir isso. Amor próprio, dignidade, maturidade é quando você assume tudo que já sabe. Vaidade é quando você quer parecer mais do que é. Esclareci?

Tenho consciência de que meu trabalho quando estava no mundo foi bom. Eu amava fazer o que fazia e colocava tal prazer quando entrava em cena que sempre conseguia me comunicar com o público. Essa satisfação, só pode avaliar quem já a sentiu.

Depois, em cena você veste os personagens e através deles pode de vez em quando jogar para fora suas próprias emoções, dando vazão aos questionamentos do dia a dia.

Claro. Quando você faz um personagem problemático, questionador, em suas falas pode liberar o que o está incomodando. A responsabilidade é só dele.

Você consegue manter sua integridade. Pode chorar, expressando sua mágoa sem que ninguém seja indiscreto e queira saber o que vai em seu coração. Sempre dei preferência aos personagens irreverentes, e acho que vocês já descobriram por quê. O bom humor é sempre mais agradável, mesmo quando o tema é árduo e trágico.

Aliás, rir é sempre a melhor opção. Olhando as coisas que ocorrem no mundo, percebendo a imensa inversão de valores e a enorme resistência que as pessoas têm ao novo ainda que seja para melhorar, sinto que não resta outro recurso.

Olhar a violência, a crueldade, a inércia, a corrupção e até a dependência do passado da maioria que se agarra ao que lhe parece conhecido na ilusão de estar seguro, percebo o quanto é difícil contribuir para a melhoria da sociedade.

Tenho visto aqui a frustração de muitos amigos que, imbuídos dos mais entusiásticos desejos de cooperação, têm tentado despertar a consciência dos homens encarnados, inspirando ideias novas aos homens envolvidos com todos os meios de comunicação, sem conseguir grandes resultados.

Quando vivia no mundo, muitas vezes me senti incapaz de sanar os problemas dolorosos que afligem a humanidade. Os amigos costumavam dizer:

— Você é que é feliz! Está sempre de bom humor. Parece que não vê os sofrimentos que há no mundo!

Indiretamente me chamavam de egoísta, mas eu não entrei nessa porque sabia que essa foi a forma inteligente que encontrei para mostrar os fatos. Sabem por quê? Porque nunca dei "conselhos" nem ditei normas que as pessoas nunca vão seguir. Em compensação, um dito jocoso, uma piada bem armada, um fato observado por seu lado engraçado, era repetido de boca em boca. Ainda que de uma forma indireta, eu conseguia fazer pensar.

Não há coisa mais importante do que aprender a pensar. Porque se no teatro contracenamos uns com os outros, criamos personagens imaginários, todos nós fazemos isso o tempo todo dentro da cabeça.

Nunca pensou nisso? Pois é. Nós contracenamos o tempo todo misturando os aspectos de nossa personalidade. Claro que temos vários lados. Quantas vezes desejamos uma coisa e na última hora brota dentro de nós um personagem que traz um pensamento diferente e fazemos outra?

Ultimamente tenho me dedicado a assistir esse teatro interior. Posso garantir que é fascinante. Se prestar atenção vai perceber que dependendo do momento, do local e das circunstâncias, você "incorpora" um personagem diferente. Isso é tão forte que na hora você jura que é isso. Até o instante em que surge a dúvida levantada por outro lado seu. Então, os dois "brigam" dentro de sua cabeça, podem tirar seu sono e aumentar sua indecisão.

Observando nossa riqueza interior, fiquei pensando. Que bom se pudéssemos conhecer todos os personagens que há dentro de nós com os quais contracenamos diariamente! Tenho certeza de que se isso acontecesse poderíamos escrever melhor a peça de nossa vida.

Aliás, no curso de evolução sem dor que estou frequentando essa é uma aula fundamental. Dizem os instrutores que quando nós conseguirmos conhecer todos os lados de nossa personalidade poderemos escolher os mais adequados.

A princípio parecia que eu não tinha muitos "lados". Até então eu tinha a ilusão de ser pessoa equilibrada, com bom senso. Mas o tempo foi me mostrando que estava enganado. O que fazer? A ilusão ainda é uma agradável maneira de encobrir o que não desejamos ver.

Fiz o primeiro exercício meio a contragosto, com ares de superioridade, como quem cumpre um ato mecânico e sem utilidade.

Mas logo fui surpreendido por um personagem inesperado e fraudulento que de forma alguma queria que eu "largasse" meus controles habituais. Apareceu no palco de minha mente com toda a força, dizendo sutilmente que era melhor eu ir embora, que eu não precisava de nada daquilo, que minha vida era uma beleza. Por que eu iria me dar ao trabalho de querer mudar?

Ele foi tão bem articulado que quase me venceu. Eu quase desisti. Mas, aí, meu curioso retrucou:

— Vai desistir sem ver o que vai acontecer? Vai perder essa?

Minha vaidade completou:

— Não vai mostrar a eles que não "precisa" disso?

Então resolvi ficar e ir em frente. Cada um foi convidado a dizer quais as frases que havia "escutado". Fiquei calado, ouvindo o que os outros diziam. Logo percebi que alguns tinham ouvido as mesmas coisas que eu. Fiquei inquieto. E interessei-me quando nosso professor começou a explicar o mecanismo de nossas reações.

Puxa! Descobri que tudo que observara não passara de resistência a mudar e medo do novo. Defesa. Só defesa. Me empolguei. Se em poucos instantes tivera conhecimento de três personagens que habitavam meu teatro interior interferindo em minha vida, o que mais haveria atrás daquele cenário que eu colocara na frente, com medo de perceber o que havia atrás?

Começou então para mim uma experiência nova. Agora, sou um observador atento, faço parte da plateia de mim mesmo.

Vocês vão achar que esse assunto deu voltas à minha cabeça, mas eu afirmo que não. A partir dessa primeira aula, percebi vários personagens que habitam o palco de minha vida, cada um escrevendo uma peça particular, que ao final acabam por atrair para mim fatos e pessoas, alguns muito bons, outros que eu preferia não tivessem acontecido.

Dentro desse processo, revi pessoas, fatos da infância, problemas de família, assuntos não resolvidos. Restos de um passado que, embora eu houvesse feito tudo para ignorar mascarando-os com humor e alegria, ainda permaneciam lá atuando sempre como se o tempo não houvesse passado e as coisas não houvessem se modificado.

Sabem lá o que é isso? Podem imaginar tudo que carregamos escondido em nosso subconsciente, sem coragem de olhar frente a frente e tentar encontrar outra forma de viver?

Por que será que resistimos tanto às mudanças? Por que temos tanto medo do novo? Não seria mais sensato testar as coisas antes de recusar?

Agora estou mais modesto. Não julgo nada. Quando entro em aula espero tranquilamente os acontecimentos e só depois de realizar a experiência é que me posiciono. Não acham que é melhor?

Quando perdemos o medo, acabamos descobrindo que nosso teatro interior é muito interessante. Temos personagens de todos os tipos. Implicante, impaciente, vaidoso, dramático, comodista, dependente, vítima, herói, justiceiro, perfeccionista, certinho, mentiroso, interesseiro e outros mais. Por outro lado, temos o amoroso, o sincero, o confiante, o próspero, o inteligente, o dedicado, o lúcido, o equilibrado, o sábio, o espiritual.

Tenho observado que todos estão dentro de nós e entram em cena conforme o momento, provocando diferentes resultados em nossas vidas. Assim como eu, vocês por certo já sabem que são os primeiros, isto é, os personagens negativos, que provocam todas as confusões nas quais nos temos metido. Vai daí que o melhor seria poder tirar de cena todos eles, deixando apenas os outros, os positivos.

Acham que não é possível? É, sim. O mais difícil é conseguir identificá-los. Uma vez feito isso, há que aprender a transformá-los compreendendo que seus valores estão sendo invertidos e que por trás há forças positivas.

Será que você vai poder fazer isso? Nós ainda estamos aprendendo. Mas desde já posso afirmar que isso é possível e fascinante.

Dentro desse contexto tenho escrito algumas peças nas quais estudo esses personagens, e para minha alegria elas estão sendo montadas aqui e assistidas por grande número de pessoas. Quem sabe algum dia ainda eu possa escrevê-las para serem levadas em algum teatro no mundo.

Já pensaram que maravilha? Cada pessoa que assistir vai poder identificar seus próprios personagens e começar a praticar seu teatro interior! Que beleza! Descobrir como transformar insatisfação em alegria, tristeza em felicidade, frustração em prazer!

Quando nos decidimos a fazer nossa evolução sem dor, tomamos contato com a essência espiritual, entramos na luz e, diante dessa postura, tudo pode acontecer! Não acham que vale a pena tentar?

Circunstância fatal

Quando deixei a Terra há mais de trinta anos, sentia muita saudade. É que eu sempre gostei de viver aí e, apesar dos problemas que apareciam, a vontade de experimentar, o prazer de fazer eram tão grandes que as coisas desagradáveis acabavam perdendo a importância.

Nos primeiros tempos que vivi aqui, era difícil ficar distante sem participar dos acontecimentos importantes, da política, dos eventos promissores na Terra. Por isso, pedi a oportunidade de continuar escrevendo para vocês porque, além do prazer de estar ligado ao que se passava no mundo, poderia ao mesmo tempo falar da realidade astral sabendo que essa troca seria proveitosa para ambas as partes.

Porém, à medida que o tempo foi passando, embora ainda sinta saudade de vez em quando, aprendi a apreciar a sociedade onde estou vivendo agora, que, embora seja ainda um pouco tumultuada uma vez que nós estamos fazendo parte dela e não temos ainda boa organização mental, oferece preciosas oportunidades de desenvolvimento espiritual e maior conhecimento das leis cósmicas.

Talvez seja por isso que tenho espaçado meus contatos com os leitores da Terra. É que neste universo maravilhoso são tantas as opções, tantas e sempre surpreendentes descobertas, que tenho me empolgado, esquecendo o tempo, usufruindo mais os momentos que estou vivendo aqui.

Meu interesse em comunicar-me com vocês continua, talvez até um pouco mais forte, uma vez que quanto mais eu aprendo aqui, mais percebo que a verdade é muito diferente dos conceitos que correm aí no mundo.

Olhando o que vai na sociedade terrestre, notando como os valores estão sendo invertidos, sabendo que os sofrimentos em que as pessoas se angustiam poderiam ser evitados com certa facilidade, se elas conhecessem melhor as leis cósmicas, sinto renascer em meu coração o desejo ardente de cooperar para que vocês descubram a verdade e possam libertar-se de tanta dor.

Confesso que, apesar de minha vontade, tem sido difícil passar as novas ideias. A resistência tem sido grande. As pessoas se seguram tanto nos padrões estabelecidos e aceitos pela maioria que se recusam a enxergar o que seja diferente. Esse comportamento tem envolvido vocês em um círculo vicioso terrível, que emperra o progresso, atrai mais sofrimento.

Vocês acreditam que determinados comportamentos sejam bons, porém colhem resultados dolorosos, o que significa que eles não servem para vocês. Contudo insistem neles, iludindo-se com os conceitos da maioria, com medo de experimentar o inverso e vir a sofrer. É engraçado, mas o medo de sofrer faz com que vocês continuem sofrendo sem parar! Já pensaram que contrassenso?

No universo a lei é igual para todos. Não há proteção para ninguém. Agiu de determinada forma, obtém aquele resultado. Isso é fatal. Por isso é inútil permanecer fazendo tudo igual, mesmo sentindo que sua vida está indo muito mal, que você está sofrendo, que nada dá certo, que há carência de dinheiro, de afeto, de prazer, de alegria, de dignidade.

Não seja resistente! Aí você vai dizer que você está fazendo seu melhor e que não sabe como agir de outra forma. Vai desfilar para mim suas lamentações sem perceber que uma das causas de sua infelicidade é exatamente fazer isso. Queixar-se, lamentar-se como se você fosse incapaz de fazer coisa melhor.

Há muito descobri o quanto a queixa é destrutiva. Aqui em minha cidade, se alguém entrar nisso, as pessoas imediatamente vão embora sem nenhuma consideração. Será que vocês aí teriam coragem para fazer isso? É falta de educação, você vai dizer. E eu respondo que falta de educação aqui é "jogar" energias negativas em cima dos outros que não têm nada com isso.

Mas, aí, as conveniências, a vaidade, o querer "parecer" educado faz com que você que odeia ouvir lamentações se obrigue a engolir tudo para não ser criticado. Com isso, atrai formas-pensamentos negativas em sua aura que uma vez instaladas vão "atacar" você, atrapalhando sua vida.

Se não quer ser indelicado, basta mudar de assunto, não alimentar. Experimente, a cada queixa, colocar o lado positivo da situação. Logo vai perceber que seu interlocutor, não sendo apoiado, perde o interesse de desfilar seu rosário e se despede logo. Se ele for inteligente, pode até notar como está sendo maldoso e despertar para algo melhor.

Mais importante do que a conversa que você tem com os outros é aquela que você tem com você. Essa, então, é a mais perigosa. Sim, porque a maneira como você se vê, como você se trata, vai dizer aos outros como você é. Suas energias "falam" do que você crê.

Não importa o bem que você pensa que faz, nem como você imagina que os outros o estão vendo, nem como você desempenha os papéis que acredita serem importantes para ser aceito. É aquela conversa íntima que você tem com você todos os dias que cria seu padrão energético.

E, no jogo da vida, é seu padrão energético que conta. As energias que você exala chegam até as pessoas, não do jeito que você julga estar sendo, mas do jeito que você é. Quando você sente que não é amado, que não tem "sorte" no emprego, que nada dá certo, que sua vida está ruim, é hora de prestar atenção e notar o quanto se julga incapaz e se maltrata por isso.

Não acredita? Pensa que estou exagerando? Qual nada. Volto a afirmar que essa é uma circunstância fatal. Plantou, colheu. Não tem meio termo. Se sua vida está ruim, é claro que você está agindo errado.

Não adianta protestar, querer brigar comigo, porque estou dizendo a verdade. Basta verificar como você conversa com você, de que forma se obriga a fazer as coisas, como se controla para entrar nas regras, sem nenhuma consideração por seus verdadeiros sentimentos. Diante de tanta desvalorização, como quer que a vida, as pessoas o valorizem?

Sei que o que estou dizendo pode parecer estranho por ser diferente do que vocês têm ouvido até hoje, mas se pelo menos estudarem o assunto, prestarem atenção, acabarão por descobrir que é verdade.

Comigo funcionou tanto que agora, sempre que algo não acontece da forma como eu gostaria, paro, medito, analiso minhas atitudes e experimento fazer exatamente o oposto. Acham que estou me precipitando? Qual nada. Tenho feito isso e não é que tem dado certo? Essa é a forma inteligente de modificar uma situação que não nos agrada. Se eu continuar fazendo tudo igual, estarei colhendo sempre os mesmos resultados. Deu para entender?

Parece simples demais? Quem foi que lhes disse que a vida é complicada? As complicações são criadas por vocês. Diante disso, não será mais inteligente descomplicar?

Acho que hoje dei voltas à sua cabeça. Ainda bem. Quem sabe assim você decida abrir uma janela no círculo vicioso de sua vida e começar a enxergar diferente. Se soubesse como é fácil! Não vai experimentar?

Contrariedade

Há dias em que parece que tudo acontece para contrariá-lo. Problemas inesperados aparecem, pessoas complicadas cruzam seu caminho, você é envolvido por fatos desagradáveis, assuntos que você foi postergando por não desejar resolver se complicam exigindo providências imediatas. Aí você imagina que o mundo inteiro esteja contra, e se deixa envolver pela revolta, como se fosse uma vítima da maldade humana. A insatisfação, a queixa se instalam, chegando à amargura e à depressão.

Quanto mais você se deixa arrastar por esses sentimentos, mais seus caminhos se fecham acabando por chegar um momento em que parece impossível encontrar uma saída. Daí ao suicídio é um pequeno passo.

Quanta ilusão! Eu diria mesmo quanta falta de informação! Hoje em dia, com tantas possibilidades de pesquisa, com tantas provas da continuidade da vida após a morte, com tantas oportunidades maravilhosas de progresso que a vida na Terra oferece, ainda há quem se deixa iludir, preferindo machucar-se com a negação e o pessimismo, deixando de lado sua oportunidade de ser feliz.

Aí você vai dizer que não pode ser feliz quando tudo em sua vida dá errado. Eu concordo. Quando tudo vai mal, é claro que a felicidade está distante. Mas o que você tem feito para modificar essa constante em sua vida?

Eu digo isso não porque deseje criticar você mas porque também já tive meus dias de desconforto quando estava no mundo, e mesmo aqui. Está admirado? Acha que quando vivemos no mundo astral tudo seja maravilhoso? Seria se nossa cabeça não fosse tão indisciplinada. Se já tivéssemos conseguido controlar nossa mente, nossa vida aqui seria excelente, mas como ainda não conseguimos, temos nossos altos e baixos também.

Mas, tendo descoberto que sou eu quem atrai todos os fatos de minha vida e que a causa de tudo reside em meu descontrole mental, tenho procurado aprender a fazer isso. No começo, achei muito difícil. Pudera, habituado a não exercer nenhum controle sobre os pensamentos, me permitindo as mais loucas digressões mentais, minha vida aqui, logo que cheguei, passou a ser uma roda-viva, repleta de acontecimentos desagradáveis que infernizavam minha cabeça.

Porém, como eu sou rápido e gosto de aprender, principalmente se a pressão for dolorosa, tenho me esforçado para conseguir esse controle e posso garantir que já melhorei bastante. Descobri que a chave de nosso equilíbrio é ficar atento às impressões e como nossa mente as seleciona. Um fato pode ser avaliado de várias formas, dependendo dos valores mentais de cada um. O importante é discernir a verdade das ilusões. O falso do verdadeiro.

Uma pessoa muito dramática vai exagerar, uma pessimista vai imaginar o pior, uma ingênua vai se escandalizar, uma controladora vai se revoltar, etc. Entretanto, a verdade não tinha nada disso. Um fato é só o que aconteceu, o resto fica por conta da imaginação de quem o vê.

Se fosse só isso, não seria nada. O pior é que como temos o poder de criar, de materializar as coisas à nossa volta, acabamos por criar todos os nossos medos. Tudo que tememos começa a materializar-se em nossa vida. Tragédias para os dramáticos, sofrimentos para os pessimistas, doenças para os hipocondríacos, maldades para os ingênuos, descontrole para os controladores.

E quando você resiste e não muda sua forma de agir, esses fatos vão sendo cada vez mais frequentes e exagerados para que você perceba. Então, chega aquele dia em que tudo parece conspirar contra você e nada dá certo.

Entendeu? Aí você vai dizer que não acredita, que estou fantasiando porque você não tem esse poder de criar esses fatos, uma vez que só deseja o bem.

O que adianta desejar se você não faz? De que vale pensar, criar ideias na cabeça mas agir de maneira contrária a elas? A vida vai materializar o que você sente, não o que você acha que é.

Portanto, o jeito de melhorar é modificar a forma de pensar. É controlar a mente não se permitindo fantasiar, esforçando-se para manter um bom senso de realidade. No começo pode parecer difícil, porém depois de algum tempo você vai notar que as coisas vão se tornando mais claras, menos complicadas, sua cabeça mais lúcida, sua vida mais feliz.

Não acham que vale a pena tentar?

Imaginação

Tenho tentado mostrar a vocês que a vida é perfeita e faz tudo certo. E que, para compreender como ela funciona, precisamos deixar as ilusões, as fantasias. De uma coisa tenho certeza: ela é muito mais rica e bonita do que nossa maior fantasia e trabalha sem cessar para que aprendamos a ciência de ser feliz.

Quando digo que ela nos criou para a felicidade, você pode duvidar, uma vez que não é isso que tem observado no mundo, mas eu garanto que o sofrimento humano é fruto das ilusões e do excesso de imaginação que as pessoas criaram para si.

Aí vocês vão dizer que não estou sendo coerente. Se enalteço a necessidade de ser verdadeiro, de olhar tudo do jeito que é, acertando baterias contra as ilusões, o que sobram são os sofrimentos, a "dura realidade" social, etc., etc. Essa atitude acabaria com a criatividade, com os sonhos dos artistas, com os desejos de progresso da sociedade, com a beleza da vida.

Será que vocês entenderam tudo quanto escrevi neste livro? Se pensam dessa forma, com certeza não. A vida é perfeita, tem em si mesma todas as belezas, todas as artes, todo o progresso, toda a força do divino e do eterno.

Nós somos a vida. Ela palpita em nós de forma ininterrupta, mesmo quando, iludidos pelas aparências, nos deixamos levar pelas ilusões, pelos exageros, pela falta de fé.

E aí é que entram as mudanças essenciais que ela provoca em nossas vidas, corrigindo nossos objetivos, fazendo-nos perceber a verdade, colocando-nos no lugar que nos compete por aquilo que acreditamos ser, para que possamos experimentar nossas ideias, nossa própria força.

A sabedoria da vida nos deixa livres para experimentar e age de tal forma que somos nós que fazemos as leis com as quais seremos julgados. Essa liberdade me comove e impressiona. Não há juiz nem ninguém que determine as experiências que iremos viver, mas apenas nossas crenças, nossas atitudes atraindo os acontecimentos que necessitamos para abrir nossa consciência, aprender a viver melhor.

Seremos medidos com as medidas que medirmos. Pode haver justiça mais liberal e ao mesmo tempo mais perfeita e justa?

É aí que os exageros nos conduzem a muitos sofrimentos que poderíamos ter evitado. Dramatizar qualquer acontecimento faz com que ele cresça e assuma dimensões que ele não tinha.

É por isso que a vida frustra, desilude, mostra a verdade. Cultivar a ilusão fatalmente levará à desilusão. Exagerar, imaginar o que não é, sempre será uma maneira de se machucar quando a verdade mostrar sua face.

Isso não significa cortar a imaginação, que é uma ferramenta que quando usada de forma positiva cria motivação, impulsiona o progresso, alimenta o espírito.

Será que você sabe usar sua imaginação sem entrar na ilusão? Será que você sabe valorizar sua capacidade, sem medo do futuro, confiante na vida e em sua própria força? Essa ciência estou tentando aprender e confesso que, apesar dos muitos cursos a que venho assistindo ultimamente para me livrar dos velhos hábitos que mantinha no mundo, ainda me pego dramatizando, exagerando minha fraqueza, alimentando a cômoda postura de vítima das circunstâncias, quando já aprendi que cada um é totalmente responsável por si e que pode tudo quando usa a própria força.

Mas, apesar disso, não me culpo. Sabem por quê? Porque sei que me dar força é o melhor remédio, principalmente quando fiz alguma coisa que não saiu bem como eu gostaria. A culpa só faz mal, e cultivá-la é como ingerir um veneno que vai aos poucos acabando com nossas possibilidades de sermos felizes.

Não é isso que eu quero para mim. Você quer? Eu descobri que a vida trabalha para o melhor. Que o bem é a única verdade que há. Que crer no mal é dar muitas voltas para no fim, depois de muitos sofrimentos, acabar valorizando o bem para chegar à felicidade.

Aprendi que o mal é a maior ilusão e que um dia, seja pela dor ou seja pela inteligência, todos nós vamos aprender isso.

É por isso que voltei para escrever a vocês. Se eu estivesse vivendo aí no mundo, gostaria que alguém do astral me mostrasse essas verdades.

Por isso, a imaginação serve para criarmos beleza, amor, alegria, bondade, progresso. Se você a está usando para criar dor, medo, sofrimentos, mal-estar, angústia, depressão, saiba que mergulhou na ilusão, e quanto antes sair dela, melhor.

Experimente o oposto. Seja o que for, não dramatize. Ao invés da tristeza cultive a alegria; da culpa exercite a boa vontade; do desespero alimente confiança na vida; do desânimo acredite no próprio poder; do abandono se dê todo apoio; do medo do futuro observe a perfeição da vida, que nunca erra.

Eu gostaria muito que você pensasse no que tenho escrito. Um dia, tenho certeza, ainda que demore muitos anos, chegará aos mesmos resultados que cheguei e quem sabe nosso encontro tenha o sabor agradável das muitas conquistas que fizemos, na descoberta infinita das riquezas de nosso mundo interior.

Um abraço do amigo
Silveira Sampaio.

Sucessos de ZIBIA GASPARETTO

Romances mediúnicos, crônicas e livros. Mais de 17 milhões de exemplares vendidos. Há mais de 20 anos, Zibia Gasparetto é uma das autoras nacionais que mais vendem livros.

Romances
Ditados pelo espírito Lucius
- O poder da escolha
- O encontro inesperado
- Só o amor consegue
- A vida sabe o que faz
- Se abrindo pra vida
- Vencendo o passado
- Onde está Teresa?
- O amanhã a Deus pertence
- Nada é por acaso
- Um amor de verdade
- Tudo valeu a pena
- Tudo tem seu preço
- Quando é preciso voltar
- Ninguém é de ninguém
- Quando chega a hora
- O advogado de Deus
- Sem medo de viver
- Pelas portas do coração - nova edição
- A verdade de cada um - nova edição
- Somos todos inocentes
- Quando a vida escolhe - nova edição
- Espinhos do tempo
- O fio do destino - nova edição
- Esmeralda - nova edição
- O matuto
- Laços eternos
- Entre o amor e a guerra
- O morro das ilusões
- O amor venceu

Crônicas mediúnicas
Espíritos diversos
- Voltas que a vida dá
- Pedaços do cotidiano
- Contos do dia a dia

Crônicas
Ditadas pelo espírito Silveira Sampaio
- Pare de sofrer
- O mundo em que eu vivo
- Bate-papo com o Além
- O repórter do outro mundo

Peças
Zibia Gasparetto no teatro

Coleção que reúne os romances de maior sucesso da autora adaptados para o palco e que promete dar vida às histórias.

- O advogado de Deus (adaptado por Alberto Centurião)
- O amor venceu (adaptado por Renato Modesto)
- Esmeralda (adaptado por Annamaria Dias)
- Laços eternos (adaptado por Annamaria Dias)
- O matuto (adaptado por Ewerton de Castro)
- Ninguém é de ninguém (adaptado por Sergio Lelys)

Outros livros
de Zibia Gasparetto
- Conversando Contigo!
- Eles continuam entre nós - volumes 1 e 2
- Reflexões diárias
- Pensamentos (com outros autores)
- Pensamentos - A vida responde às nossas atitudes
- Pensamentos - Inspirações que renovam a alma
- Recados de Zibia Gasparetto
- A hora é agora!

Sucessos de LUIZ GASPARETTO

Estes livros vão mudar sua vida! Dentro de uma visão espiritualista moderna, vão ensiná-lo a produzir um padrão de vida superior ao que você tem, atraindo prosperidade, paz interior e aprendendo, acima de tudo, como é fácil ser feliz.

- Gasparetto responde! (com Lúcio Morigi)
- Afirme e faça acontecer
- Revelação da luz e das sombras (com Lúcio Morigi)
- Atitude
- Faça dar certo
- Prosperidade profissional
- Conserto para uma alma só (poesias metafísicas)
- Para viver sem sofrer
- Se ligue em você (adulto) - nova edição

Série AMPLITUDE
- Você está onde se põe
- Você é seu carro
- A vida lhe trata como você se trata
- A coragem de se ver

Livros
Ditados pelo espírito Calunga
- Um dedinho de prosa
- Tudo pelo melhor
- Fique com a luz
- Verdades do espírito
- O melhor da vida

Livros infantis
- Se ligue em você - 1, 2, e 3
- A vaidade da Lolita

Sucessos de
SILVANA GASPARETTO

Obras de autoconhecimento voltadas para o universo infantil. Textos que ajudam as crianças a aprenderem a identificar seus sentimentos mais profundos, tais como: tristeza, raiva, frustração, limitação, decepção, euforia etc., e naturalmente auxiliam no seu processo de autoestima positiva.

- Fada Consciência 1 e 2

OUTROS AUTORES
Nacionais

Conheça nossos lançamentos que oferecem a você as chaves para abrir as portas do sucesso, em todas as fases da sua vida.

Amadeu Ribeiro
- O amor nunca diz adeus
- A visita da verdade
- O amor não tem limites
- Juntos na eternidade
- Reencontros

Ana Cristina Vargas
Ditados por Layla e José Antônio
- Em busca de uma nova vida
- Em tempos de liberdade
- Encontrando a paz
- A morte é uma farsa
- Intensa como o mar
- Sinfonia da alma
- O quarto crescente - nova edição

Eduardo França
- A escolha
- Enfim, a felicidade
- A força do perdão
- Vestindo a verdade

André Ariel Filho
- Surpresas da vida

Carlos Henrique de Oliveira
- Ninguém foge da vida

Ernani Fornari
- Fogo sagrado
- Alinhamento energético

Evaldo Ribeiro
- Eu creio em mim

Flávio Lopes
- A vida em duas cores
- Uma outra história de amor

Floriano Serra
- Nunca é tarde
- O mistério do reencontro

Gilvanize Balbino
- O símbolo da vida

Irineu Gasparetto
- Presença de espírito (pelo espírito dr. Hans)

Leonardo Rásica
- Fantasmas do tempo
- Luzes do passado
- Sinais da espiritualidade
- Celeste - no caminho da verdade

Liliane Moura Martins
- Viajando nas estrelas
- Projeção astral

Lucimara Gallicia
Ditado por Moacyr
- Sem medo do amanhã
- O que faço de mim?

Marcelo Cezar
Ditados por Marco Aurélio
- Coragem para viver
- Treze almas
- O que importa é o amor
- Ela só queria casar...
- O próximo passo
- A vida sempre vence - nova edição
- O amor é para os fortes
- Um sopro de ternura
- A última chance
- Para sempre comigo
- O preço da paz
- Você faz o amanhã
- Medo de amar - nova edição
- Nunca estamos sós
- Nada é como parece
- Só Deus sabe

Maria Aparecida Martins
- Mediunidade clínica
- A nova metafísica
- Conexão – "Uma nova visão de mediunidade"
- Mediunidade e autoestima

Mario Enzio
- O profissional zen
- O bom é ter senso

Mário Sabha Jr.
- Você ama ou fantasia tudo?

Maura de Albanesi
- A espiritualidade e você
- Coleção Tô a fim

Mônica de Castro
Ditados por Leonel
- Impulsos do coração
- Desejo - até onde ele pode te levar?
  (pelos espíritos Daniela e Leonel)
- Apesar de tudo...
- Virando o jogo
- Jurema das matas
- Uma história de ontem - nova edição
- De frente com a verdade
- De todo o meu ser
- A atriz
- Gêmeas
- Só por amor
- Lembranças que o vento traz
- Giselle – a amante do inquisidor - nova edição
- Segredos da alma
- Greta - nova edição
- O preço de ser diferente
- Até que a vida os separe
- Com o amor não se brinca
- Sentindo na própria pele

Rose Elizabeth Mello
- Desafiando o destino
- Verdadeiros laços

Sérgio Chimatti
- Apesar de parecer... ele não está só
- Lado a lado
- Ecos do passado

Valcapelli
- Amor sem crise

Valcapelli e Gasparetto

- Metafísica da saúde - 4 volumes

Não deixe de ouvir e ver

LUIZ ANTONIO GASPARETTO EM CD

Autoajuda. Aprenda a lidar melhor com as suas emoções para conquistar um maior domínio interior.

Série PALESTRAS

- Meu amigo, o dinheiro
- Seja sempre o vencedor
- Abrindo caminhos
- Força espiritual
- A eternidade de fato
- Prosperidade
- Conexão espiritual
- S.O.S. dinheiro
- Mediunidade
- O sentido da vida
- Paz mental
- Romance nota 10
- Segurança
- Sem medo de ter poder
- Simples e chique
- Sem medo de ser feliz
- Sem medo da vida
- Sem medo de amar
- Sem medo dos outros

LUIZ ANTONIO GASPARETTO
EM MP3

- Tudo tem seu preço / Terminar é recomeçar / A lei do fluxo – 3 palestras
- Eu e o universo / Resgatando o meu eu / Estou onde me pus – 3 palestras
- Se dando a vez / Sem drama / Regras do amor inteligente / Fique seguro em si – 4 palestras
- Caminhando na espiritualidade – curso em 4 aulas
- Poder da luz interior – 4 palestras

LUIZ ANTONIO GASPARETTO
EM DVD

- Pintura mediúnica – Narração de Zibia Gasparetto
  Luiz Gasparetto e os mestres da pintura em um evento realizado no Espaço Vida e Consciência, em São Paulo, em novembro de 2009.

- Magia da luz
- Série Infinito: Onde reencarnar é uma lei / Continua...

Rua Agostinho Gomes, 2.312 – SP
55 11 3577-3200

grafica@vidaeconsciencia.com.br
www.vidaeconsciencia.com.br